Julie Crèvecœur

I

Éditions J'ai Lu

GÉRARD NÉRY | *ŒUVRES*

JULIE CRÈVECŒUR :

NORMA DÉSIR :

En vente dans les meilleures librairies

GÉRARD NÉRY

Julie Crèvecœur

I

1

Julie Crèvecœur attendait. Une attente qui la torturait. Elle était debout près de la cheminée, essayant de s'absorber dans le feu de bois qui crépitait, car les bûches étaient humides. Elle guettait le moindre bruit de l'extérieur. Mais rien ne troublait le calme champêtre d'Auteuil. Elle avait tout essayé pour distraire son attente. Et elle s'était mise à détester le temps qui passait toujours trop vite lorsque son amant était auprès d'elle et lui paraissait interminable lorsque Alain était absent.

Mais ce soir-là, Julie en avait conscience, c'était bien davantage que l'attente du plaisir, de la joie indescriptible qu'elle connaissait entre les bras d'Alain. C'était autre chose que la simple attente de ce moment où le monde quotidien allait sombrer pour n'être plus qu'un univers de passion et de folie. Ce soir-là devait se jouer le destin de Julie Crèvecœur. Ce qu'elle attendait de son amant, c'était une réponse définitive à une question qui la torturait depuis des jours et des jours : allait-il partir pour aller rejoindre le corps expéditionnaire français au Mexique? Et dans l'affirmative, quand partirait-il?

« Absurde! pensait-elle. Absurde de s'aimer comme nous nous aimons, d'être heureux comme nous le sommes, malgré tout ce qui s'oppose à notre amour, et de nous séparer parce qu'Alain est rempli d'orgueil et dévoré d'ambition. Dans trois ans je suis majeure, et à ce moment-là tout sera possible... Je serai en mesure de m'opposer à mon tuteur, je disposerai de ma fortune et de ma personne... »

Elle entendit des pas au-dehors. La pièce ouvrait de plain-pied sur le jardin. Déjà deux bras vigoureux se nouaient autour de sa taille et une bouche avide cherchait sa bouche.

— Alain, mon amour... Regarde-moi...

Elle s'écarta de lui pour mieux voir ce visage qu'elle adorait et qu'elle redessinait parfois, quand elle était seule, trait par trait. D'abord sa bouche, très rouge, aux lèvres arquées, ces lèvres dont elle suivait le contour, du bout des doigts, quand il dormait. Elle aimait le voir sourire. C'était comme un lever de soleil, le sourire d'Alain. Avec des fossettes qui se creusaient et qui le rendaient irrésistible. Il avait le nez busqué, un peu fort. Un nez d'homme. Et une chevelure drue, indisciplinée, poussant n'importe comment, de couleur châtain foncé, tirant sur le roux.

Toute sa personne vigoureuse dégageait une impression de force et d'audace. Julie chercha son regard. Et ce qu'elle découvrit la fit trembler. Les yeux d'Alain étaient changeants comme la mer. Et ce soir-là Julie leur trouvait des reflets inconnus, comme s'ils regardaient ailleurs, au-delà...

— Tu pars?

C'était comme un cri.

Alain la renversa sur la peau d'ours étalée devant la cheminée. En même temps il écarta le châle de cachemire qui couvrait les épaules de Julie. Il avait les mains sèches et brûlantes. Il semblait à Julie qu'elles détenaient un singulier pouvoir. Sous son châle, elle

6

portait un corsage de flanelle rouge qu'on appelait
« Garibaldi » par allusion à la chemise rouge des garibaldiens. C'était, avec un jupon de la même étoffe, la
tenue favorite de Julie Crèvecœur.

— Oui, mon amour, murmura Alain. Nous embar-
quons à Brest demain...

Il avait dégrafé le haut du corsage et dénudé une
épaule qu'il mordait avec cette faim qu'il avait toujours, cet appétit qui caractérisait tout son personnage, pressé de vivre, avide de tout, parce qu'il n'avait
rien.

Julie se dressa, serrant contre sa poitrine le corsage
défait.

— C'est ça, ton amour? s'écria-t-elle. C'est ça, ta
passion? C'est pour me dire cela que tu es venu me
rejoindre ici, ce soir?

Le jeune homme la saisit par le poignet, violemment, et la força à se blottir contre lui.

— C'est pour toi, ma vie. C'est pour toi... pour
nous... Cette guerre du Mexique est une occasion ines-
pérée... Je n'ai pas de nom, pas de fortune, même pas
d'espérances... Je ne possède rien et j'aimerais tout
avoir... Essaie de comprendre...

— Comprendre quoi, Alain? Que tu ne possèdes
rien, alors que je suis à toi, tout entière?

Elle martela de ses poings la poitrine de son
amant, prise d'une fureur soudaine, irrésistible.

— Comment oses-tu dire des choses... des choses
aussi abominables. Comment peux-tu me dire ce soir
que tu aimerais tout avoir, alors que tant de fois tu
m'as juré que notre amour était ta vie, qu'il te nour-
rissait et... et...

Elle ne trouva plus ses mots. Les larmes étaient venues, tout naturellement. Le jeune homme était bou-
leversé tant par la beauté de sa maîtresse que par son
désespoir.

— Chéri, murmura Julie, je t'en supplie... Reste...

7

Quand tu n'es pas là, je suis comme morte. Plus rien n'est possible. Je suis comme une montre qui s'arrête. Je vois, j'entends, mais c'est une autre. Ce n'est pas moi. Je ne suis moi-même qu'entre tes bras. Le... le souffle me vient par ta bouche. Et quand je dors, je dors contre toi. Sans toi, mon amour, ma vie c'est le désert, c'est le vide. Quand tu n'es pas là, chéri, c'est l'hiver. Tu es... tu es mon soleil, ma chaleur. Je t'en supplie, ne... ne m'abandonne pas, Alain!

L'émotion empêcha le jeune homme de répondre. Mais soudainement, il se jeta contre elle, presque avec désespoir. Sa bouche cherchait la bouche de sa maîtresse. Ils s'embrassèrent avec fureur. Julie se trouvait prise comme dans un carcan, les bras collés au corps, à la merci de son amant qui lui avait arraché son corsage, la dénudant à moitié.

— Il faut croire en mòi, murmura-t-il, il faut me faire confiance... Rien n'est possible sans l'argent et la puissance qu'il procure. Je veux... je veux tout : tu m'entends bien? Je te veux, toi, mais au grand jour. J'ai toujours pensé, et tu le sais bien, que l'impossible est possible, mais seulement en Amérique. C'est là qu'on peut s'inventer soi-même... A Paris, il faut toute une vie pour être quelqu'un. Là-bas, une nuit suffit parfois...

Julie s'arracha à son étreinte.

— Tu es fou, mon amour. Fou à lier! Qu'est-ce que tu me racontes? Reviens sur terre, chéri. Où vas-tu? Au Mexique. Et comment y vas-tu? En uniforme de sous-lieutenant de chasseurs! Et qu'est-ce que tu vas y faire? La guerre! Depuis quand fait-on fortune en faisant la guerre?

Alain éclata de rire. Un rire joyeux et un peu effrayant. Un rire qui sonnait comme un défi.

— La guerre du Mexique, mon amour, ne ressemble à aucune autre. On en a parlé assez souvent, rappelle-toi. Et puis, elle ne durera pas, cette campagne.

Le maréchal Bazaine possède tous les atouts pour l'achever à sa convenance. Dans quelques mois ce sera fini et, de l'autre côté de la frontière, c'est la Californie.

Julie força son amant à la regarder en face.

— Qui te dit, chéri, que tu la verras un jour, cette Californie? Et si tu te faisais tuer, bêtement, comme cela arrive si souvent dans les guerres?

Le garçon se pencha sur sa maîtresse. Il lui mordilla le bout du sein, arrachant à Julie un petit cri à la fois de plaisir et de douleur.

— Me faire tuer? dit-il tout doucement. Moi, me faire tuer? Tu devrais me connaître suffisamment, mon amour, pour savoir que je mourrai de plaisir, un jour ou l'autre, mais pas d'un coup de sabre mexicain! Ça, en aucun cas...

« Il n'y a qu'Alain pour dire avec un tel sérieux des paroles aussi insensées », pensa Julie. Devant l'inconscience du jeune homme, elle demeurait sans voix. Elle détourna la tête, ferma les yeux pour ne pas lui montrer ses larmes. Alain interpréta mal le gémissement à peine perceptible qu'elle ne put retenir. Les baisers du garçon devinrent sauvages, presque cruels, et ses mains se refermèrent sur les hanches de Julie, comme un étau. Elle retrouva alors la solitude de l'amour et donna libre cours à ses larmes qu'on pouvait à la rigueur attribuer au plaisir, à cette souffrance magnifique.

— Mon amour, dit-elle dans un souffle.

Elle s'abandonna à cet amour sans réserve aucune, totalement. C'était comme une mort qu'elle découvrait avec terreur, mais aussi avec volupté. Elle se livra si complètement à son amant que celui-ci en éprouva une exaltation telle qu'il la posséda comme jamais il ne l'avait possédée auparavant. Et il balbutia des paroles de passion et de ferveur qu'il n'avait encore jamais prononcées.

« Voilà, se dit Julie, voilà ma seule réponse. Je l'attache à moi au point de lui rendre impossible ce départ. »

Mais au même instant elle avait conscience que rien au monde ne pouvait empêcher son amant d'aller jusqu'au bout de ce qu'il avait décidé d'entreprendre.

Au début, il y a six mois, lorsque Alain Delatouche embrassait Julie, celle-ci semblait d'abord comme pétrifiée. Elle sortait à peine de pension et son tuteur M. Gaspard, le banquier, n'avait pas regardé d'un trop mauvais œil ce jeune homme que son absence de fortune et son manque de chance au tirage au sort avaient contraint à sept années de service militaire. Encore, grâce aux relations de sa famille, traditionnellement bonapartiste, Alain avait-il obtenu la faveur de servir dans un corps d'élite stationné à Fontainebleau. Si M. Gaspard avait pu se douter de la tournure qu'allaient prendre les événements, il aurait sans doute mis le holà aux visites fréquentes qu'Alain venait faire à Auteuil.

— Toi... toi... murmura Julie.

Sa bouche chercha la bouche de son amant et ils restèrent ainsi un long moment avec l'impression que leurs corps ne faisaient qu'un.

Aux yeux de son entourage, sa timidité pouvait faire paraître Julie Crèvecœur froide et distante. Et elle inspirait une sorte de respect parce qu'elle était toujours un peu au-delà des événements et des gens. Pourtant, la passion était son élément naturel. Elle s'y trouvait parfaitement à son aise, comme d'autres dans la médiocrité ou le rêve. Oui, au début, lorsque Alain la prenait dans ses bras, Julie restait comme pétrifiée. Bien souvent, chez les demoiselles Beaujon, Julie s'était tournée et retournée dans son lit de pensionnaire sans trouver le sommeil, agitée par des rêves étranges et ayant gardé dans l'oreille la voix de son professeur de français qui lisait Racine à haute voix et faisait jurer à ses élèves de toujours aimer ce poète. Il n'aurait pas désavoué la passion qui jetait les jeunes amants dans les bras l'un de l'autre, ce soir-là.

Julie tourna la tête de droite à gauche, de gauche à droite, comme si elle refusait la volupté. Ce qu'elle refusait, en fait, c'était la séparation, ce départ pour une guerre lointaine, l'absurdité du destin. Ce qu'elle refusait, c'était la fierté du garçon, la rigidité de son caractère, sa volonté de ne devoir sa fortune qu'à lui-même.

« Les gens qui s'aiment ne devraient jamais se séparer », pensa-t-elle. Au fond, tout aurait été facile. Trop facile. A sa majorité, Julie Crèvecœur disposerait d'une fortune considérable qui dormait dans les coffres de la banque Gaspard. Quel démon avait poussé Alain à vouloir s'engager pour la campagne du Mexique? Pourquoi cette fascination que semblait exercer sur lui le continent américain? Avec la fortune de Julie Crèvecœur, ils auraient pu faire le tour du monde autant de fois que bon leur semblait. C'était entre eux un sujet de discorde permanent.

— Essaie de me comprendre, disait Alain. Ton argent empoisonnerait ma vie. Regarde-moi... Ne me crois-tu pas capable d'édifier une fortune sans l'aide de personne? Chez nous, il y a toujours eu beaucoup d'orgueil et le goût de la bagarre...

Quand Alain disait « chez nous, chez les Delatouche », Julie avait toujours un petit pincement au cœur. Elle ne connaissait rien de sa propre famille, les Crèvecœur. Son tuteur avait toujours éludé les questions qu'elle lui posait au sujet de ses parents disparus au cours de la révolution de 1848, alors que Julie avait à peine un an. Il ne restait de ces parents mythiques qu'un tas d'or que M. Gaspard faisait fructifier avec ce savoir-faire exceptionnel qui en avait fait l'un des plus brillants financiers du Second Empire.

11

Etendu à côté de Julie Crèvecœur, Alain la contemplait en silence. On aurait pu croire qu'il voulait l'apprendre par cœur, graver dans sa mémoire les moindres détails de ce corps adorable qu'il avait éveillé à l'amour. Julie avait la peau douce, infiniment douce, avec un très léger duvet dont elle avait eu honte pendant longtemps, comme d'une monstruosité, mais qui lui allait à merveille, comme son pelage à quelque bel animal.

— Quand tu me regardes ainsi, disait-elle, je me sens encore plus nue.

Et elle ajouta :

— Je suis à toi, mon amour. Ne l'oublie jamais...

Elle se redressa à moitié. La pièce n'était éclairée que par le feu de la cheminée. La lumière jouait sur la peau de Julie. Elle avait d'admirables épaules, une poitrine petite, mais dessinée à la perfection. Elle était devenue femme entre les bras d'Alain. Elle lui appartenait, certes, corps et âme, mais lui aussi appartenait à Julie. Aussi la séparation, malgré les motifs qui l'inspiraient, lui paraissait-elle injuste, voire criminelle.

Elle se pencha sur son amant. Lentement, très lentement, elle caressa ce grand corps souple et musclé. Jusqu'à ce soir, Julie avait toujours subi l'amour, les yeux mi-clos, donnant parfois l'impression de sombrer dans l'inconscience. Jamais elle n'avait pris la moindre initiative, car elle avait une grande pudeur naturelle. Au début, le jeune homme était déconcerté par cette passivité. Mais peu à peu la résistance de Julie s'était effritée comme un château de sable à la marée montante. Sa douceur subite, ses yeux gris qui devenaient verts, son visage qui changeait d'expression, autant de subtiles métamorphoses qui guidaient la relative inexpérience de son amant.

De toutes ses forces Julie lutta contre le désespoir qui allait la submerger. La porte donnant sur le jardin était restée ouverte, l'odeur de la terre mouillée pénétrait dans la pièce se mêlant à celle du feu de bois. La nuit tombait.

— Si tu m'aimais vraiment, tu ne partirais pas, dit la jeune fille. Je te déteste, poursuivit-elle, rageusement. Je te déteste et je t'adore. On dirait que cela t'amuse de me faire souffrir.

Pour toute réponse, Alain la saisit à bras-le-corps, la renversa, la contempla longuement avec une adoration évidente, puis se jeta sur elle avec l'avidité d'un mendiant affamé. Au même moment, une bûche s'effondra avec fracas dans une gerbe d'étincelles. Les flammes dessinaient des ombres fantasques sur le corps du garçon. Julie eut l'impression qu'il était partie intégrante du feu, qu'il en était sorti comme une divinité maléfique.

Elle l'aima avec terreur.

Lorsque le feu mourut, l'obscurité envahit la pièce. Julie s'était lovée contre son amant et elle aurait voulu que cette minute se prolongeât indéfiniment. Elle se disait que sa place était là et nulle part ailleurs, et elle pensa avec angoisse aux jours, aux semaines, aux mois qu'elle allait passer dans l'attente du retour d'Alain.

« Ce qu'il y avait de très étonnant dans leurs rapports, c'est qu'ils se connaissaient depuis toujours. » Enfant, Alain venait jouer avec sa petite voisine dans le parc d'Auteuil qui touchait celui des Delatouche. C'était plutôt un devoir. Elle savait bien que, quand on parlait d'elle chez les Delatouche, on devait dire « cette pauvre petite... ». Dans leur esprit, le fait d'avoir grandi sans père ni mère auprès d'un homme comme Rémy Gaspard qui n'avait guère le sens de la famille, c'était un grand malheur. Et lorsqu'elle eut dix ans, il la mit en pension. Elle en sortait le dimanche à 4 heures. Félicien, le cocher de M. Gaspard, l'attendait avec la berline, pour l'amener à Auteuil d'où il la ramenait le lundi matin un peu avant 9 heures.

Pendant quelques années, Julie ne revit pas son voisin qui faisait ses études en province où ses parents vivaient à présent. Et puis, certain dimanche qui restera gravé dans la mémoire de Julie, ce n'était pas le haut-de-forme en carton bouilli du cocher qu'elle aperçut en quittant Beaujon, mais le shako d'un fringant sous-lieutenant qui venait de prendre garnison à Fontainebleau et qui s'était souvenu qu'il avait à Paris une amie d'enfance qui devait avoir bien changé depuis le temps des parties de cache-cache dans le parc de la maison d'Auteuil.

— A quoi penses-tu, mon amour? demanda Alain.

— A nous, bien sûr.

Au début, ils essayèrent tous les deux de retrouver cette complicité de l'enfance, mais ils durent se rendre bien vite à l'évidence : ce qui les rapprochait violemment l'un de l'autre, c'était un désir impétueux, un émerveillement total.

On entendit, dans le jardin, des pas furtifs.

Alain tourna la tête. Elle le rassura.

— C'est Antoinette, chuchota-t-elle. Tu sais bien qu'elle monte la garde.

Sans la complicité de sa femme de chambre, Julie n'aurait peut-être pas réussi à garder le secret de son merveilleux roman d'amour, quoique M. Gaspard ne fît à Auteuil que des apparitions espacées. On disait qu'il entretenait ses maîtresses sur un grand pied et qu'il avait, dans Paris, plusieurs retraites aussi discrètes que fastueuses. L'idée ne lui serait pas venue à l'esprit que sa pupille pouvait recevoir un amoureux dans le petit pavillon au fond du parc. N'avait-on pas inculqué à Julie les principes les plus rigides de la morale, tout en l'astreignant chez les demoiselles Beaujon à une discipline de vie stricte au point de la faire ressembler aux règlements en vigueur dans l'armée? Dans cette armée où Alain servait sans enthousiasme et dans le secret espoir de pouvoir s'en évader à la première occasion...

— Mademoiselle Julie... Mademoiselle Julie...

Julie Crèvecœur attrapa une gandoura de couleur vive qui traînait sur une causeuse. C'était un cadeau que lui avait fait la femme qu'elle admirait le plus au monde, la princesse Mathilde Bonaparte, lors d'un séjour de Julie chez sa protectrice, à Saint-Gratien.

Elle se leva et sortit dans le jardin, pieds nus, drapée dans son vêtement arabe, sa longue chevelure d'or dénouée, flottant sur ses épaules. C'était une bien étrange apparition dans ce parc tracé à l'anglaise où jaillissaient des touffes d'iris, des bouquets de pivoines et d'ancolies formant des massifs de couleur vive, qui tranchaient sur le vert tendre du gazon.

Debout au milieu de l'allée, sanglée dans un tablier amidonné, un bonnet immaculé dans les cheveux, se tenait Antoinette, le souffle court, la main pressée sur la poitrine.

— Mademoiselle Julie...

— Eh bien, Antoinette?

Sous le regard effaré de sa femme de chambre, Julie se serra davantage dans son vêtement, mais il ne fallait pas être grand clerc pour deviner qu'elle était nue sous sa gandoura.

— Pourquoi me regardes-tu ainsi?

— Mademoiselle... Mademoiselle a pleuré!

Le visage de Julie était, en effet, ravagé par les larmes. Antoinette était à peine plus âgée que sa maîtresse et, à la voir dans un tel état, elle aurait volontiers pleuré, elle aussi. Mais elle se ressaisit, consciente de devoir ses devoirs.

— C'est Monsieur.

— Mon tuteur? Il est rentré à l'improviste?

La voix de Julie était très calme. Elle réalisa qu'elle était prête à affronter M. Gaspard, à tout lui avouer. Julie regarda vers la maison : il n'y avait pourtant aucune lumière aux fenêtres, ni au salon ni dans la bibliothèque.

— Monsieur a dit à Félicien de rappeler à Mademoiselle qu'elle va ce soir aux Variétés!

Aller au théâtre un soir comme celui-ci... se retrouver dans une loge, aux côtés de M. Gaspard... Répondre aux saluts des gens... leur sourire... leur parler à l'entracte...Applaudir.

— J'ai préparé la robe de mademoiselle, dit Antoinette.

Julie se détourna.

Lorsqu'elle revint auprès de son amant, celui-ci achevait de boutonner sa longue tunique noire. Il était grand temps pour lui de retourner à Fontainebleau. Julie se sentait incapable de prononcer la moindre parole. Ils s'étreignirent une dernière fois, dans l'obscurité. Les sanglots montèrent dans la gorge de Julie qui n'essaya même pas de les étouffer.

— Je reviendrai de là-bas, dit Alain. Est-ce que tu m'attendras?

— Jusqu'à ma mort et au-delà... répliqua Julie dans un souffle.

Elle savait que désormais sa vie était suspendue au destin de celui qu'elle aimait et que rien ni personne au monde ne pouvait l'empêcher de réaliser son amour, dût-elle pour cela souffrir et lutter jusqu'à son dernier soupir.

Antoinette dut habiller sa maîtresse presque de force. On ne faisait pas attendre M. Rémy Gaspard et Félicien s'impatientait sur le siège de la berline. Pour se rendre d'Auteuil jusqu'au théâtre des Variétés, ce n'était pas une petite affaire. Julie, dans son cabinet de toilette, au premier étage, entendait les chevaux piaffer la cour.

Machinalement, elle posa un soupçon de rouge sur ses joues. Puis elle appliqua sur le bord de ses pau-

16

pières un peu de terre d'ombre. Tous ces gestes, elle les accomplissait avec une précision extrême, mais on eût dit un automate.

— Que mademoiselle n'oublie pas la veloutine, murmura la femme de chambre.

La veloutine prétendait remplacer la poudre de riz. Antoinette contempla avec satisfaction la coiffure à laquelle elle venait de donner un dernier coup de peigne : un chignon volumineux qui, du sommet de la tête, roulait jusqu'aux épaules.

Julie regarda son image dans la glace, comme si c'était une étrangère.

— Je ne pourrai jamais...

Elle avait une pauvre petite voix.

— Il le faut, mademoiselle Julie. Il le faut absolument.

A la pensée que Mademoiselle pût arriver en retard au rendez-vous que lui avait fixé son tuteur, Antoinette avait des sueurs froides. Elle chercha désespérément une parole susceptible de dérider sa maîtresse.

— Mademoiselle ne devinera jamais le nom de la coiffure que je lui ai faite pour ce soir.

Et comme Julie ne répondait pas :

— La coiffure à la Belle Hélène!

Son rire sonnait terriblement faux.

Sur la scène du théâtre des Variétés, Hortense Schneider, l'interprète favorite d'Offenbach, drapée d'un péplum blanc, souriait à Pâris :

Je suis gaie, soyez gai, il le faut, je le veux!

Dans une baignoire d'orchestre, Julie Crèvecœur, vêtue d'une robe en satin blanc, gantée de blanc jusqu'au coude, trouvait ces couplets d'un humour macabre. Malgré les prouesses de Félicien, conduisant d'une main de fer son attelage à travers les encombrements des boulevards, elle était arrivée au théâtre avec un léger retard. M. Gaspard l'attendait sous le péristyle en fumant son éternel cigare.

— Ma chère, avait-il dit, si vous commencez à poser des lapins, vous êtes en train de devenir une vraie Parisienne...

Julie se demandait si elle avait l'étoffe d'une « vraie Parisienne ». Dans la salle, les ministres, les membres du Jockey Club, l'élite du monde élégant et officiel qui côtoyait les danseuses de l'Opéra, les courtisanes et les cocottes, se laissaient emporter par le même enthousiasme. Julie faisait un immense effort pour ne pas sangloter ouvertement. Elle se sentait étrangère à cette fête, étrangère à cet homme, son tuteur, qui faisait semblant de ne pas s'apercevoir de son état. Elle se sentait étrangère à ces gens beaux, riches ou titrés qui la considéraient comme étant des leurs. Ces gens-là ignoraient-ils donc qu'en ce moment même on se battait au Mexique, que cela durait depuis près de quatre ans, que l'armée française s'y était comportée vaillamment, mais que la liste des morts et des disparus s'allongeait chaque jour et qu'on ne voyait pas la fin de cette soi-disant « brillante campagne » ? Et dire que demain Alain embarquerait pour la Vera Cruz...

La salle grondait de plaisir, entraînée par la musique frénétique. Hélène et Pâris, enlacés, clamaient :

Il faut bien que l'on s'amuse...

Julie fit l'impossible pour retenir ses larmes, mais elle n'y réussit guère. Elle observa son tuteur, à la dérobée. Droit comme un *i*, superbe et grisonnant, Rémy Gaspard, les bras croisés, suivait le jeu de Mlle Schneider avec le sourire entendu d'un connaisseur. Il était chez lui dans les coulisses de tous les théâtres parisiens. Et pour cause : sa maîtresse en titre, Mlle Blanche d'Antigny, avait été un peu comé-

18

dienne. Mais avant Blanche, il y en avait eu beaucoup d'autres. Et après elle, pensa Julie, il y en aura encore beaucoup d'autres. Tel était M. Gaspard. Julie le regarda comme elle aurait regardé un étranger. Pourtant, elle éprouvait à l'égard de son tuteur un sentiment indéterminé d'où l'affection n'était pas tout à fait absente. Elle se disait qu'elle l'aimait bien, qu'il pouvait être très amusant et que c'était un homme de goût. Mais tant d'années passées au pensionnat avaient creusé le fossé entre le tuteur et sa pupille. « Au fond, se disait Julie, quand j'ai eu besoin de lui comme on peut avoir besoin d'un père, il n'a jamais été là... »

Julie se demanda si ce n'était pas une force, cette faculté qu'avaient les hommes à ne pas être là quand on avait besoin d'eux. Comment Alain pouvait-il l'abandonner ainsi, par orgueil, par ambition, alors qu'ils auraient pu être parfaitement heureux pour peu que M. Gaspard eût accepté l'idée de voir Julie épouser son ami d'enfance? Mais Julie savait fort bien que l'idée d'un tel mariage n'aurait pas convenu et ne conviendrait jamais au banquier.

— Alain, avait-il dit à Julie une fois pour toutes, est un jean-foutre, un panier percé, et, comme tous les militaires, ce qu'il cherche, c'est une jeune fille avec une dot. Une dot, ma chère, qu'il s'empressera de perdre au jeu, car, par-dessus le marché, c'est un Delatouche, donc un aventurier!

Le plus drôle de l'histoire était que M. Gaspard avait été lui aussi, au départ, un joueur et un aventurier. Mais cela, Julie était trop jeune pour le savoir. Ce qu'elle savait, c'est qu'il invitait périodiquement à Auteuil quelque pâle jeune homme, fils de haut fonctionnaire ou apparenté à l'une de ces familles grand-bourgeoises issues de la Restauration. Ces jours-là, le banquier revenait exceptionnellement de la rue Laffitte à Auteuil pour présider un déjeuner où Julie jouait le rôle de maîtresse de maison. Elle était belle, distante et d'une compétence irréprochable. Dans la plupart des cas, le jeune homme était tellement impressionné par Julie qu'il avalait de travers la fumée du cigare que M. Gaspard lui avait octroyé au moment des liqueurs. Ce qui plaisait bien à Julie, c'est que, lorsque le soir du même jour, ou le lendemain, elle revoyait son tuteur, celui-ci avait la même réaction que sa pupille à l'évocation du « déjeuner d'affaires » organisé tout exprès pour présenter à Julie un éventuel prétendant. Tous deux éclataient de rire en se rappelant « le coup du cigare ». Et les choses en restaient là.

Julie se disait qu'elle ne pourrait plus jamais rire, au moment où, sur la scène des Variétés, le chœur chantait à l'approche d'Oreste :

> *C'est avec ces dames qu'Oreste*
> *Fait danser l'argent à papa!*
> *Papa s'en fiche bien, au reste,*
> *Car c'est la Grèce qui paiera...*

Un tonnerre d'applaudissements secoua le théâtre. Des premières loges aux baignoires, de l'orchestre au balcon, les mains gantées de blanc jusqu'au coude avaient déposé leur éventail pour frapper à tout rompre l'une contre l'autre. Perdue dans ses pensées et dans son chagrin, Julie oublia d'applaudir. « ... fait danser l'argent de papa ». L'argent... La fortune de Julie Crèvecœur. Si elle n'existait pas, cette fortune, jamais Alain n'aurait eu l'idée d'aller contracter un engagement pour le Mexique.

Julie n'en pouvait plus. Elle pleurait à chaudes larmes, alors que Pâris ordonnait :

> *Je suis gai, soyez gai, il le faut, je le veux!*

Elle voyait, à l'orchestre, tous ces grands personnages dont Gaspard se flattait d'être l'ami ou le banquier et qui s'identifiaient ravis, séduits, à l'ordre de Pâris.

Gaspard, agacé, se pencha vers sa pupille :

— Reculez-vous, je vous prie...

C'était un ordre. Et généralement, on obéissait aux ordres de M. Gaspard. Julie obtempéra dans un bruissement de soie. Mais elle était ulcérée. Cet homme ne s'inquiétait même pas de son chagrin, alors que depuis le début de la soirée, il avait dû se rendre compte que sa pupille n'était pas dans son état normal. Il ne pensait qu'à lui, qu'aux commentaires qu'auraient pu faire ses amis s'ils avaient vu Julie pleurer au milieu d'une représentation au théâtre des Variétés. Un père se serait comporté tout autrement. Un père aurait pris sa fille par l'épaule, lui aurait parlé doucement, avec affection. Mais Gaspard, rien. Rien de ce qui concernait Julie Crèvecœur ne touchait vraiment son tuteur. La décision de Julie était prise : puisque cet homme était tant préoccupé par l'effet qu'il produisait sur les autres, elle était décidée à le braver sur le terrain de ces convenances dont il faisait si grand cas. Le rideau venait de se baisser pour la dernière fois et la salle se rallumait progressivement. Tout en saluant d'une inclinaison du buste ou de la main telle ou telle de ses relations, Gaspard s'adressa à Julie qui, obéissante, s'était reculée vers le fond de la baignoire.

— D'abord, vous arrivez en retard, ensuite vous vous mettez à pleurer au milieu du spectacle le plus drôle de Paris... Puis-je vous demander, ma chère, ce que tout cela signifie ?

Heureusement, à cet instant précis, une jeune femme rousse, féline, les menaça en souriant de son éventail replié. Elle se tenait debout à l'entrée d'un rang d'orchestre où on venait lui présenter ses hommages, comme à une reine.

— Mlle d'Antigny, dit Julie, évitant de la sorte la réponse qu'elle aurait dû fournir à son tuteur. (Et elle ajouta :) Pourquoi ne pas l'avoir invitée à partager votre loge?

La question était quelque peu perfide. Julie savait que son tuteur n'aurait à aucun prix voulu imposer à sa pupille la présence de sa maîtresse. Julie trouvait cela tout à fait comique; elle était sans préjugé aucun, ce qui dénotait une très forte personnalité, car elle avait été élevée dans ce climat d'hypocrisie bourgeoise qu'elle détestait.

— Mlle d'Antigny était déjà invitée par ailleurs, répliqua le banquier, avec un soupçon de gêne.

— Si vous voulez fumer un cigare au promenoir, je vous attendrai ici, murmura la jeune fille.

D'ores et déjà elle savait qu'elle tenait sa vengeance!

— J'aimerais que vous me fassiez la grâce de m'accompagner, trancha le banquier en se levant. Nous ne sortons pas si souvent ensemble... Et on pourrait croire que je vous abandonne, comme Cendrillon!

La sécheresse du ton contrastait singulièrement avec l'expression du visage qui restait souriant. Julie prit son éventail qu'elle déplia. Son tuteur, galamment, l'aida à reculer sa chaise. Mais Julie ne s'y trompa point : M. Gaspard la forçait à se montrer avec lui, alors qu'elle ne demandait qu'à rester seule avec sa détresse. Elle se leva néanmoins, mais non pas par obéissance. Ulcérée, elle ne pensait qu'à la vengeance. Un rapide coup d'œil vers l'orchestre lui prouva que Blanche d'Antigny se tenait toujours au même endroit, recevant les hommages du ministre des Arts et Lettres, dont la poitrine était barrée par le grand cordon de la Légion d'honneur. Julie remarqua aussi un tout jeune homme au profil d'oiseau de proie qui ramassait l'éventail que Blanche venait de laisser tomber. Julie ne put s'empêcher de sourire en voyant l'embarras du jeune homme qui semblait fasciné par les diamants qu'il voyait scintiller sur la gorge à demi découverte de Mlle d'Antigny.

— Excusez-moi, monsieur, dit Julie à son tuteur, alors qu'ils débouchaient dans le couloir des loges.

Et, lui tournant résolument le dos, elle descendit jusqu'aux travées d'orchestre. Abasourdi, M. Gaspard resta cloué sur place. Julie Crèvecœur, se forçant à paraître naturelle, se dirigea vers la maîtresse de son tuteur. Toutes les têtes se tournèrent au passage de cette radieuse beauté. Julie était consciente de l'effet qu'elle produisait, mais cela ne lui faisait aucun plaisir. Elle pensa que son tuteur devait être furieux et elle en tira une sombre satisfaction.

— Bonsoir, madame, dit Julie, s'immobilisant près de la d'Antigny, stupéfaite. J'ai beaucoup entendu parler de vous sans jamais avoir eu le plaisir de vous être présentée.

— Moi aussi, j'ai beaucoup entendu parler de vous, dit la célèbre demi-mondaine.

Julie la sentit gênée. Mais elle avait des manières de femme du monde et n'en laissa rien paraître. Julie la trouva très belle. Sur sa somptueuse toilette étaient répandus des médaillons formant cadre à des bouquets-fantaisie dont les couleurs étincelantes tranchaient sur le taffetas gris. Julie reconnaissait la griffe de Mme Alexandre Ghys, la couturière à la mode chez qui son tuteur l'avait emmenée à plusieurs reprises.

Blanche d'Antigny présenta Julie au ministre qui s'inclina, ravi. Julie aperçut son tuteur qui avait pris le parti de venir la rejoindre. Elle était certaine qu'il ne devait guère apprécier le tour qu'elle venait de lui jouer.

— Qu'avez-vous fait de M. Gaspard? demanda Blanche.

— Il me suivait, mais je l'ai perdu en route.

Julie mentait effrontément. Elle observa son tuteur du coin de l'œil. Il saluait la comtesse d'Epreaux qui était accompagnée par le chevalier de Givry. Puis il se trouva immobilisé entre deux généraux. Julie sentait peser sur elle un regard brûlant. C'était le jeune homme pâle, au profil d'oiseau de proie. Celui-là même qui avait ramassé l'éventail de Mlle d'Antigny.

— Joli garçon, n'est-ce pas? murmura la maîtresse du banquier.

Julie la regarda avec une sorte de commisération. Elle était jeune et belle. Sans doute n'éprouvait-elle pour son amant aucun sentiment véritable, ce qui pouvait expliquer l'intérêt qu'elle portait à cet inconnu. Comment pouvait-on partager le lit d'un homme qu'on n'aimait pas?

Julie était agacée par l'insistance avec laquelle le jeune homme la détaillait. Tout en lui dénotait le provincial qui découvrait Paris. Son cicérone était un gros homme, essoufflé, dont le frac était coupé à la dernière mode, les favoris teints, et qui baisait justement la main de la duchesse d'Authon Latour, laquelle brandissait son programme comme une oriflamme.

Julie Crèvecœur ne croyait pas se tromper en reconnaissant le vieux lion en train d'initier son neveu de province aux rites de la vie parisienne. Comme tout cela lui paraissait vain et factice ce soir. Elle imaginait Alain dans un compartiment inconfortable de chemin de fer, roulant vers Brest. Pensait-il à elle en ce moment?

M. Gaspard arriva enfin à la hauteur du petit groupe qui entourait Julie Crèvecœur et Mlle d'Antigny. Il était suffisamment diplomate pour ne rien laisser paraître de ses sentiments véritables. Il s'inclina devant Blanche et lui baisa la main comme s'il s'agissait d'une relation mondaine. Toutes ces grimaces parurent dérisoires à Julie. Personne dans cette brillante assistance n'était censé ignorer que Blanche d'Antigny était entretenue sur un grand pied par Rémy Gaspard!

C'est alors que le gros homme essoufflé aux favoris teints se dirigea vers Gaspard, entraînant dans son sillage son protégé, rouge d'émotion, et qui ne quittait pas des yeux Julie Crèvecœur. Celle-ci supposa qu'on avait dû prévenir le jeune homme qu'elle était l'une des plus riches héritières de Paris.

— Comment va, cher Gaspard? claironna le bonhomme, un sourire épanoui aux lèvres.

— Et vous, baron?

Le banquier présenta le baron de Tourmalec à sa maîtresse et à sa pupille. Le baron s'inclina devant les dames puis s'assura de la présence du jeune homme qu'il poussa en avant.

— Patrice Kergoat, étudiant... Le fils d'un de mes bons amis, à Morlaix.

M. Gaspard faisant semblant de s'intéresser à l'étudiant, Julie en déduisit que le baron de Tourmalec devait être un client de la banque Gaspard et, par conséquent, fort riche.

— Et quelles sont vos ambitions dans la vie, jeune homme?

A cette question rituelle du banquier, d'autres répondaient généralement par des platitudes.

— Vivre, monsieur Gaspard. Je veux vivre à pleins poumons.

Julie fut frappée par cette réponse insolite du fait de sa franchise. Elle remarqua dans l'œil de son tuteur une lueur qui ne trompait pas : visiblement, le petit provincial mal dégrossi au regard de braise avait eu le don de plaire au banquier qui se trompait rarement en hommes. Mais Julie pouvait constater en même temps une sorte de métamorphose chez Mlle d'Antigny : en présence même de son amant, elle détaillait le garçon, le jaugeait, l'appréciait avec un sans-gêne qui frisait l'impudeur. En ce moment, Blanche n'avait plus rien d'une femme du monde. Elle donnait l'impression à Julie de quelque joli fauve au poil lustré, guettant sa proie.

En tout état de cause, Julie s'avoua que malgré son manque d'élégance et son évidente maladresse, le dénommé Patrice Kergoat avait ce que les comédiennes, amies de M. Gaspard, appelaient « la présence ». Pour la deuxième fois de la soirée, et, malgré l'angoisse qui habitait son cœur, Julie Crèvecœur eut envie de sourire. « Voilà un garçon qui va sans doute faire son chemin à Paris, se dit-elle. Requin parmi les requins, il dévorera pour ne pas se faire dévorer... »

En fait, Patrice Kergoat avait des dents de loup très blanches et une belle bouche aux lèvres pleines, sensuelles. Il essaya de se rapprocher de Julie Crèvecœur qui le foudroya du regard. Un de ces regards qui glaçaient les plus téméraires.

Une sonnerie grêle annonça la fin de l'entracte.

Les groupes se défaisaient, lentement, comme à contrecœur. Julie avait toujours l'impression qu'au théâtre, ce qu'aimait par-dessus tout ce public-là, c'étaient les entractes.

— Mon jour est le jeudi, cher baron, disait Blanche d'Antigny à M. de Tourmalec. (Mais elle ne quittait pas des yeux le jeune Patrice.)

Julie avait la certitude que cette invitation s'adressait en fait au protégé du baron. Et elle éprouva à l'égard de Mlle d'Antigny un sentiment voisin de l'admiration. Il ne lui déplaisait pas d'imaginer que M. Gaspard, malgré sa fortune et son charme de quadragénaire bien conservé, n'était finalement pas aussi heureux en amour qu'il le laissait paraître.

Lorsqu'ils regagnèrent leur baignoire, Julie fut surprise que son tuteur ne lui adressât aucun reproche. Elle était pourtant allée rejoindre Blanche d'Antigny à laquelle elle n'avait jamais été présentée. Elle était certaine d'avoir embarrassé le banquier. Mais celui-ci, pensa-t-elle, avait dû être impressionné par ce Patrice Kergoat au point d'oublier ce qui s'était passé. Elle en conclut que Rémy Gaspard ne pensait qu'à ses affaires, qu'il avait voulu se montrer aimable avec le richissime de Tourmalec et qu'il avait découvert en Kergoat une personnalité qui tranchait sur la grisaille habituelle des garçons de vingt ans qu'on lui présentait dans l'espoir d'une protection dont pouvait dépendre leur avenir. Julie estimait que le petit provincial au regard de feu avait quelque chance de faire carrière avec l'aide de M. Gaspard et elle en éprouva du dépit en pensant qu'Alain avait dû s'engager pour le Mexique dans l'espoir de trouver aux Amériques ce qu'il aurait pu avoir à Paris si le puissant financier avait seulement voulu lui accorder son aide.

— Que pensez-vous de ce garçon? demanda-t-il brusquement, faisant allusion à Patrice Kergoat.

La jeune fille chercha une réplique qui aurait pu blesser son tuteur.

— Rien. Je n'en pense rien.

Surpris par la sécheresse de cette réponse, le banquier s'immobilisa un instant. Puis, tourné vers sa pupille :

— Eh bien, moi, ma chère, je ne le trouve pas mal. Pas mal du tout.

Julie eut envie de lui rétorquer : « Mlle d'Antigny semble partager cet avis... » mais elle se retint. D'ailleurs, la salle, à ce moment-là, éclata en applaudissements : le compositeur de *La Belle Hélène*, un tout petit homme, venait d'apparaître au pupitre. Ses musiciens lui firent une ovation.

Offenbach leva sa baguette...

2

Depuis le départ d'Alain, il semblait à Julie qu'elle n'avait plus aucune raison de vivre. Elle était comme un arbre foudroyé. En apparence, pareille à elle-même; mais nul ne pouvait deviner à quel point elle était transformée. Jamais encore elle ne s'était posé les questions qui l'assaillaient à présent. Jamais elle n'avait été aussi lucide face à sa propre existence, qu'elle avait considérée jusqu'alors comme une sorte d'aventure qu'éclairait le seul bonheur qu'elle eût jamais connu, celui d'aimer et d'être aimée. Depuis la soirée aux Variétés, elle savait que son tuteur n'avait pour elle rien de plus qu'une profonde indifférence. Pour la première fois Julie se demandait pourquoi cet homme-là justement était son tuteur. Qui avait bien pu le choisir pour remplir cet office? Mais elle n'avait trouvé personne pour lui fournir une réponse satisfaisante à cette question.

A Auteuil, il n'y avait que des domestiques. Pour des raisons qui échappaient à Julie, son tuteur avait renouvelé tout son personnel au moment où sa pupille revenait de pension. Ainsi, Natti, la vieille gouvernante, celle-là même qui avait élevé Julie Crèvecœur enfant, était retournée dans son village normand où M. Gaspard lui servait désormais une petite rente. Julie ressentit cruellement cette rupture avec son enfance. Mais elle n'eut guère le temps de faire l'expérience de la solitude. Alain faisait dans sa vie une entrée fracassante. Il apportait avec lui la passion, la folie, la soif de vivre. Le jour où il s'en alla faire la guerre au Mexique, Julie se trouva subitement devant un gouffre. Elle ne cessa dès lors d'avoir froid à l'âme. A présent, elle se sentait effroyablement seule. Une ombre parmi d'autres ombres. La vie venait mourir à ses pieds, comme une vague.

Ainsi donc, les gens qui l'entouraient à Auteuil ne connaissaient rien d'elle et rien de M. Gaspard. D'ailleurs, Julie ne comprenait pas pourquoi il maintenait tout ce train, alors qu'il ne venait là que rarement. La jeune fille finit par croire que c'était pour elle seule qu'il y avait cuisinière, femme de chambre, valet, cocher et jardinier. Pour elle et pour maintenir une certaine façade. Mais la signification de cette mise en scène lui échappait. De même qu'elle ne comprenait pas qu'un homme qui prenait tant de soin à lui assurer une vie matérielle luxueuse pouvait se désintéresser à ce point de ce qui était bien plus important aux yeux de Julie : l'affection, la compréhension, la tendresse. Elle se rendit compte qu'en lui apportant l'amour Alain lui avait tout apporté. Et qu'en s'engageant pour la guerre du Mexique il lui avait tout pris. Depuis le départ de son amant, Julie Crèvecœur s'estimait plus pauvre encore que la plus déshéritée des filles de cuisine.

Quatre mois s'étaient écoulés.

Les premiers temps, Julie avait fait face, courageusement, essayant de faire semblant de vivre. Elle passait le plus clair de son temps en d'interminables promenades à cheval dans la campagne. Sultan, l'alezan brûlé, lui avait été offert par son tuteur pour son dix-huitième anniversaire. M. Gaspard ne manquait jamais une occasion de faire de somptueux cadeaux à sa pupille. Il devait être persuadé qu'il s'acquittait de la sorte de tous ses devoirs envers elle. Julie eût préféré qu'il lui posât des questions sur son chagrin le soir où elle avait pleuré dans sa loge, au théâtre des Variétés. Au moins avait-elle acquis la certitude, ce soir-là, qu'elle ne pouvait compter sur M. Gaspard que pour assurer son confort matériel. Elle attendait donc des nouvelles d'Alain avec une impatience grandissante au fur et à mesure que passaient les jours, les semaines, les mois... Mais rien ne venait du lointain Mexique. Julie essayait de se raisonner : une lettre de la Vera Cruz mettait en moyenne six semaines pour arriver en France. En comptant les trente ou quarante jours de traversée depuis Brest, le sous-lieutenant Alain Delatouche avait prouvé à sa maîtresse qu'elle pouvait difficilement recevoir de ses nouvelles avant l'expiration d'un délai de trois mois. Au bout de ces douze semaines interminables, malgré un séjour à Biarritz, la villégiature préférée de l'Impératrice, Julie attendait chaque jour, dans la fièvre, l'arrivée du facteur. Mais quatre autres semaines passèrent et tous les matins, en portant son chocolat à Julie, la fidèle Antoinette montrait le même visage soucieux.

— Rien, mademoiselle. Toujours rien...

Un certain jeudi, plus désemparée encore que d'habitude, elle se rendit à Paris. En passant rue La Fayette, elle eut subitement l'idée de rendre visite à son tuteur. Celui-ci n'avait fait ces derniers temps que de rares apparitions dans sa retraite campagnarde. Julie supposa que Mlle d'Antigny devait beaucoup l'accaparer. Etant très seule et très malheureuse, Julie avait envie de se tourner vers l'homme qui jouait si médiocrement le rôle du remplaçant d'un père. Et peut-être que, poussée par le désespoir, elle aurait fini par tout lui avouer, ne serait-ce que pour faire cesser, une fois pour toutes, cette recherche d'un mari éventuel dans laquelle le banquier s'obstinait.

La façade de la banque Gaspard était visible de l'angle des rues Pillet-Will et La Fayette. C'était un fort bel hôtel avec une porte flanquée de colonnes, une terrasse à balustres de pierre et un grand balcon sur sept fenêtres. Le tout enjolivé de ferronneries. En tournant le coin de la rue La Fayette, Julie aperçut de loin déjà une daumont verte attelée de deux anglo-normands à la robe blanc argenté. L'œil exercé de Julie reconnut immédiatement l'attelage qui stationnait devant l'entrée de la banque. Elle hâta le pas. Elle eut juste le temps de voir son tuteur s'incliner profondément devant une visiteuse de marque, qui n'était autre que la princesse Mathilde, cousine de l'Empereur. Puis, le banquier remonta les quelques marches du perron et disparut à l'intérieur de l'établissement qui portait son nom.

Lorsque Julie arriva près de la daumont, celle-ci était sur le point de s'ébranler, le valet de pied ayant regagné son siège à côté du cocher. La princesse se pencha à la portière et fit un signe au cocher qui tira sur les rênes.

— Julie... Julie Crèvecœur! s'exclama Mathilde Bonaparte.

Il y avait du reproche affectueux dans sa voix. Une voix superbe, un peu rauque, mais chaleureuse et vibrante. Elle avait un beau visage classique qui rappelait le masque napoléonien, un port de reine. Elle entrouvrit la portière :

— Viens t'asseoir près de moi.

Julie obtempéra. Elle bénissait le hasard qui avait guidé ses pas. Plus d'une fois, elle avait pensé se rendre chez sa protectrice et amie, mais chaque fois elle avait remis sa visite à plus tard, dans le secret espoir de recevoir enfin cette lettre tant attendue, tant espérée. Alors, elle se serait précipitée rue de Courcelles, car Mathilde Bonaparte était la seule personne au monde à connaître le roman d'amour de ces deux jeunes gens, presque encore des enfants. Julie s'était confiée à la princesse parce qu'elle n'avait jamais su ce que c'était que d'avoir une mère. Elle savait, par contre, pour l'avoir vue vivre, que la cousine de l'Empereur était non seulement bonne et généreuse, mais large d'idées, quoique fort croyante. Julie n'ignorait pas que sa protectrice avait connu, connaissait encore les orages de la passion et qu'elle comprenait et excusait chez les autres ce qu'elle avait éprouvé elle-même.

— Je viens de parler de toi... longuement.

— Avec mon tuteur?

Il y avait un peu de crainte dans la voix de Julie. La princesse sourit, amusée.

— Je n'ai pas prononcé le nom d'Alain. Mais M. Gaspard est inquiet à ton sujet. Il paraît que tu ne quittes presque plus jamais Auteuil, que tu passes le plus clair de ton temps à courir les bois à cheval et que tu traites les jeunes gens qu'on te présente comme des polichinelles. M. Gaspard cherche à comprendre ton attitude.

Julie resta abasourdie. Jamais elle ne se serait doutée que son tuteur pouvait s'inquiéter à son sujet. Dans ce cas, pourquoi ne prenait-il pas le temps de s'entretenir avec elle?

Mathilde Bonaparte réfléchit un peu avant de reprendre :

— Surprenant, cet aveuglement chez un homme qui a la réputation d'être un homme à femmes. Moi, je trouve que c'est inscrit sur ta figure que tu es amoureuse. Mais peut-être bien que M. Gaspard ne sait pas lire sur le visage des jeunes filles.

La princesse portait une robe de soie puce et un mantelet assorti dont elle releva le col, car il faisait assez frais pour la saison.

— Je ne te demande pas si tu as des nouvelles de là-bas, dit-elle.

— Aucune... murmura Julie. Cela fait quatre mois qu'il est parti et... et on dit tant de choses sur cette guerre du Mexique.

— Je t'en veux d'avoir disparu ainsi.

Julie saisit la main de la princesse et l'embrassa dans un geste spontané et touchant. C'était sa façon de se faire pardonner et le témoignage d'une sincère affection. Mathilde Bonaparte en eut conscience. Elle caressa furtivement les cheveux de sa protégée. Elle se força un peu pour garder une certaine légèreté de ton qui contrastait avec la gravité de son visage.

— Tu sais que tu nous manques beaucoup à Saint-Gratien? Il ne se passe pas un dimanche sans que l'ami Giraud ne me demande de tes nouvelles. De même que Sainte-Beuve et tous les autres. Je leur réserve la surprise pour dimanche prochain : nous fêterons le retour de Julie Crèvecœur. Alboni chantera ainsi que Capoul et Taillade nous dira des vers... J'en ai touché deux mots à M. Gaspard. Il te confie à moi jusqu'à lundi.

Julie se sentait incapable d'affronter les habitués de l'« auberge de l'amitié ». Il y a quelques mois encore elle se serait réjouie de cette invitation. Aujourd'hui, elle n'éprouvait que de l'appréhension.

— Vous êtes très bonne, madame, et votre présence suffit à me redonner courage, mais...

— Mais...?

— Ce sont les autres. Tous les autres. Ceux qui s'amusent. Ceux qui boivent et qui mangent et qui parlent d'amour. Et qui le chantent. Vous devez me trouver parfaitement ridicule.

Mathilde paraissait émue.

— Je ne te trouve pas du tout ridicule. Quand on aime, on n'est jamais ridicule. Mais il faut avoir le courage d'affronter les autres, tous les autres. Même ceux qui ne savent pas aimer et qui s'étourdissent pour masquer le vide de leur existence. Tu sais que j'aime les artistes, Julie...

Julie le savait. La France entière savait que la princesse était la grande protectrice des arts et des artistes. D'ailleurs, elle peignait elle-même.

— Ils me fascinent, vois-tu, parce que souvent chez eux la création remplace l'amour. Ils aiment en couleurs, en vers ou en musique. Ils assouvissent ainsi leurs passions. C'est ce qui explique que ce sont parfois de piètres amants!

Mathilde Bonaparte éclata de rire, et la figure de Julie se dérida.

— Heureusement, ce n'est pas une règle générale, conclut la princesse. (Puis elle redevint grave :) Ainsi tu refuses de venir à Saint-Gratien?

— C'est impossible, Altesse. Je... je ne peux pas.

La cousine de l'Empereur fit semblant de ne pas avoir entendu. Elle se pencha vers le cocher et lui indiqua une adresse boulevard de Sébastopol. L'attelage s'ébranla et ce fut le piétinement ferré des chevaux et le claquement des fouets. Mathilde éleva la voix pour se faire entendre :

— Tu viendras bien avec moi visiter la nouvelle boutique de M. Félix Potin. Il paraît que c'est le plus beau magasin d'épices de l'univers.

Julie se demandait si sa protectrice n'était pas fâchée avec elle. Refuser une invitation à Saint-Gratien...

— Je n'ai pas beaucoup de chance avec vous autres, dit la princesse. Déjà ton tuteur n'est jamais libre. Remarque, c'est ma faute. Je lui ai fait comprendre que je trouvais sa Blanche d'Antigny jolie, mais stupide, et que je refusais de la recevoir chez moi.

— Mlle d'Antigny est loin d'être stupide, dit Julie.

— Tu fréquentes les maîtresses de ton tuteur? s'étonna Mathilde.

— J'ai connu celle-là l'autre soir, aux Variétés, et je ne serais pas étonnée qu'elle ne soit beaucoup plus intelligente que ne le prétend M. Gaspard. A mon avis, elle le mène par le bout du nez.

Mathilde se renversa sur les coussins en cuir fauve. Elle s'amusait franchement.

— La femme qui mènerait Rémy Gaspard par le bout du nez n'est pas encore née. C'est moi qui te le dis, Julie, et je te prie de croire que je m'y connais en hommes...

Un petit silence.

34

— ... et en femmes!

En arrivant devant la nouvelle boutique Potin, boulevard de Sébastopol, on aurait pu croire que toutes les jolies femmes de Paris s'y étaient donné rendez-vous. Il y avait là un va-et-vient continuel d'équipages, un véritable carrousel. Les cochers de grande maison, bottes aux pieds, cocarde au chapeau, s'affairaient autour de leurs attelages avec des paquets plein les bras. On se saluait d'une voiture à l'autre.

— Et tout cela pour des épices! s'exclama Julie.

— Si tu m'accompagnes pendant mes courses, nous ferons arrêter la daumont devant le perron de Tortoni et nous nous ferons apporter des glaces. Qu'en penses-tu?

Julie était certaine que Mathilde ne proposait cela que dans le but de la dérider, car la princesse ne suivait pas aveuglément la mode du jour qui imposait aux dames de la Cour cet arrêt rituel chez le célèbre glacier. De toute façon, la cousine de l'Empereur avait pris ses distances avec les Tuileries depuis un certain temps déjà.

— J'adore les glaces, dit Julie. Et personne ne m'a jamais emmenée chez Tortoni. Même Alain.

Julie éprouvait une grande joie à prononcer sans contrainte le nom de celui qu'elle aimait.

— Nous avons été si heureux à Saint-Gratien, lui et moi.

Elle disait cela en guise d'excuse pour faire comprendre à la princesse qu'elle était terrifiée à l'idée de retrouver ce décor familier dont Alain serait absent. Mathilde Bonaparte s'apprêtait à descendre de voiture. Le valet de pied, la main sur la portière, attendait le bon vouloir de la princesse.

— J'ai été la complice de vos amours, concéda Mathilde. Tout à l'heure, face à ton tuteur, je me sentais même très coupable. Mais ce qui est fait est fait. Pensons à l'avenir. Que tu veuilles t'enfermer à Auteuil pour y guetter le facteur, c'est ton affaire. Mais n'oublie pas qu'il vient toujours une foule de gens passionnants à Saint-Gratien. Tu ne sais pas qui je vais avoir dimanche?

Julie fit un effort pour paraître intéressée. La princesse prenait plaisir à convier dans sa maison de campagne des personnalités politiques ou des étrangers de marque qu'elle mêlait à « ses » artistes. Mathilde marqua un léger temps avant de poursuivre :

— Un colonel de chasseurs d'Afrique!

L'intérêt de Julie n'était plus du tout feint.

— Quel régiment, Altesse?

Sa voix était oppressée. La princesse eut un bon sourire.

— Le Douzième Chasseurs de France.

— Le régiment d'Alain! s'écria Julie.

Elle saisit la main de sa grande amie, ses yeux brillaient d'excitation. Mathilde essaya de la calmer.

— Le colonel Du Barail a débarqué il y a quatre jours à Brest, en provenance directe de la Vera Cruz. Bazaine l'aurait délégué auprès de l'Empereur avec une mission secrète. Je l'ai su par les Tuileries. Le reste, ma chérie, a été un jeu d'enfant. Du Barail, qui est beau comme un astre, m'avait fait la cour, jadis, lors d'une chasse à Compiègne... Et il a accepté avec empressement mon invitation à Saint-Gratien. Dommage que tu refuses d'y venir. Après tout, ce n'est pas pour moi que je l'ai invité, mais pour toi.

La spontanéité de Julie Crèvecœur n'était jamais prise en défaut. Elle réagissait toujours avec le plus parfait naturel.

— Si vous voulez encore de moi, je viendrai à Saint-Gratien. Un colonel devrait connaître tous ses sous-lieutenants. Vous ne croyez pas, madame.

La princesse ne put s'empêcher de sourire.

— Là, tu m'en demandes trop. Mais Alain n'est pas du genre à passer inaperçu. Ce garçon ne me semble

36

guère avoir l'esprit militaire. C'est une Bonaparte qui te le dit, Julie.

L'arrivée de Mathilde avait provoqué un petit attroupement.

On s'écartait respectueusement sur le passage de l' « Altesse impériale ». Celle-ci se tourna vers Julie :

— Fais au moins semblant de t'intéresser aux épices de M. Potin. Après tout, un jour, tu seras, toi aussi, maîtresse de maison.

Depuis son arrivée à Saint-Gratien, Julie errait comme une âme en peine à travers cette maison qu'elle connaissait si bien. Une soixantaine de personnes s'égaillaient entre le château et le jardin. Julie avait vainement cherché parmi elles l'uniforme étincelant d'un colonel de chasseurs d'Afrique. Assise sur une causeuse, la princesse Mathilde avait forcé Julie à prendre place auprès d'elle.

— Calme-toi, Julie. Du Barail vient de Saint-Cloud où l'Empereur le retient, sans doute, plus longtemps que prévu. Alors prends ton mal en patience et écoute le sénateur.

Le sénateur était le pôle d'attraction de la soirée. Entouré d'un aréopage de jolies femmes, il prenait un malin plaisir à les provoquer. Julie le trouvait fort laid, petit et bedonnant. Mais elle reconnut qu'il était malin, car il s'arrangeait pour plaire aux femmes en les choquant.

— Je l'ai dit hier sur les bancs du Sénat et je le répète aujourd'hui dans cette assemblée aussi illustre que brillante : je considère la crinoline comme un méfait social dont la disparition est inévitable, sinon imminente.

Un tumulte recouvrit sa voix.

— Faites-le taire!

— L'affreux personnage...

— Assez!

Mathilde domina le brouhaha.

— Mesdames, s'il vous plaît! S'il vous plaît!

Julie les trouva grotesques. Moins grotesques, cependant, que ce sénateur qui n'avait rien trouvé de mieux, au Sénat, que d'attaquer avec vigueur la crinoline! L'intervention de Mathilde avait calmé les esprits. Julie se maîtrisait pour ne pas demander la parole. Elle en mourait pourtant d'envie. « Et la guerre du Mexique? », se serait-elle écriée. « Vous ne la considérez pas comme un méfait social, monsieur le sénateur, cette guerre absurde qui fait rêver les jeunes gens qui ont trop d'imagination et les incite à abandonner leurs maîtresses pour aller chercher fortune sous le drapeau de l'Empire? »

Julie se mordit les lèvres et se tut par respect pour Mathilde Bonaparte. Ne trouvant pas de contradicteur valable, rien n'arrêtait plus la verve du petit sénateur.

— La crinoline va mourir comme la célèbre grenouille, pour la raison qu'elle s'enfle trop pour ne pas crever!

Des rires et des protestations jaillirent de l'auditoire.

Julie n'y tint plus. L'inquiétude la rongeait. Et si le colonel avait été empêché de se rendre à Enghien? Julie préféra ne pas y penser. Un maître d'hôtel glissa quelques mots à l'oreille de Mathilde qui quitta le salon. Julie en profita pour s'esquiver à son tour. Elle s'installa sur les marches du perron qui donnait sur le parc. Elle regarda l'allée sablée, encadrée de tilleuls taillés en carré. Elle ferma les yeux et se rappela un autre soir, à la fin de l'été, où Alain parut là-bas, tout au bout de l'allée, accéléra le pas en l'apercevant de loin, puis se mit à courir vers elle...

Un long moment passa.

Lorsqu'elle ouvrit les yeux, quelqu'un remontait

effectivement l'allée et s'approcha d'elle, un grand jeune homme qui vint s'asseoir au bas des marches. C'était le peintre Eugène Giraud, l'un des familiers de la princesse Mathilde.

— Cela vous ennuie que je m'installe près de vous avec mon carnet de croquis?

Cela ou autre chose... Qu'importait?

— J'aime bien vous regarder travailler, dit-elle.

— Je ne travaille pas. En croquant les invités de la princesse sur le vif, je m'amuse.

Il ouvrit son carnet.

— Je ne vous ai jamais vue si triste, remarqua-t-il tout en dessinant.

Julie ne répondit pas. Des massifs de roses s'épanouissaient sur la pelouse et, plus loin, le couchant noyait de cendres la perspective des prés. C'était l'harmonie, la paix, la civilisation.

D'ordinaire, Julie aimait bien Eugène Giraud.

Ce soir, elle le détesta.

Pourquoi était-il là, installé à ses pieds, élégant et spirituel, à cette place où Alain aurait dû se trouver en train de mâchonner une brindille et de dire des futilités? Non. Alain ne disait jamais de futilités. Il était toujours passionné. Et quand il était indifférent, il restait muet.

— Voilà, c'est fini, dit Giraud.

Julie prit le carnet que le peintre lui tendait. Il l'avait croquée, le menton dans la paume, les yeux mi-clos. Sur la page opposée, elle découvrit une silhouette d'officier de cavalerie : dolman à brandebourgs, casque sous le bras, bottes, éperons.

— Et ça, fit-elle, qu'est-ce que c'est?

La question parut incongrue à Giraud.

— Un militaire, bien sûr. Du genre conquistador. J'ai fixé sur le papier sa superbe image au moment même où il se faisait annoncer à la princesse.

Le peintre ne comprit jamais pourquoi Julie se leva

d'une traite, ramassa son ombrelle et courut vers le salon, sans lui fournir la moindre explication.

L'immense pièce s'était vidée. Julie entendait des applaudissements venant du salon de musique, à côté. Le ténor Capoul y jouait de ses dons devant un auditoire pâmé. Dans une embrasure se tenait Mathilde Bonaparte. Auprès d'elle, figé dans une attitude pleine de déférence et de respect, une sorte de garde-à-vous galant, un officier en tout point semblable au croquis que venait de faire Eugène Giraud. Julie s'immobilisa, ne sachant s'il fallait avancer ou reculer. Son cœur battait à tout rompre. Elle avait à la fois froid et chaud. Elle avait un sombre pressentiment. La rumeur publique disait qu'un militaire faisant partie du corps expéditionnaire du Mexique et qui ne donnait plus de ses nouvelles était un homme mort.

Mathilde venait de l'apercevoir :

— Approchez, Julie, que je vous présente au colonel Du Barail.

La princesse ne tutoyait ses intimes que lorsqu'elle se trouvait seule avec eux. Du regard, elle fit comprendre à Julie qu'il ne fallait pas trop brusquer son invité qui était venu de Saint-Cloud à bride abattue.

— Je serais arrivé bien plus tôt si l'Empereur ne m'avait fait l'honneur de prolonger notre entretien au-delà des limites d'une simple audience protocolaire.

Julie constata que le colonel tirait un maximum d'effet de son rôle d'envoyé spécial du maréchal Bazaine à la cour de l'empereur Napoléon III. Elle se dit qu'il avait des excuses, car pour se faire valoir aux yeux de Mathilde Bonaparte, qui aimait les hommes intelligents, il ne suffisait pas d'être un héros.

— Je suis heureuse de vous connaître, monsieur, dit Julie d'une voix frémissante, cherchant le moyen d'amener l'officier sur le terrain voulu.

— Le colonel est un grand voyageur, expliqua Mathilde. L'Algérie, la Crimée, l'Italie et à présent le Mexique. Que d'aventures!

A côté, Capoul chantait un extrait de « Mireille ». Mathilde entraîna le colonel dans un petit salon où les richesses sonores du dernier ouvrage de M. Gounod n'étaient que faiblement perçues. Elle s'assit avec lui sur un canapé Empire. Julie jouait les jeunes filles de la maison et servait le Xérès dans des verres à pied en cristal de Bohême. Ils étaient jaunes comme la soie incrustée d'abeilles qui garnissait les murs. Des torchères éclairaient la pièce. Julie pensa que le décor napoléonien devait délier la langue du colonel qui, pour l'instant, s'en tenait à des banalités. La conversation erra sur les changements intervenus à Paris, depuis le départ du colonel, la santé de l'impératrice Eugénie, l'optimisme du ministre Dubois de Saligny.

Julie offrait des biscuits en forme d'aigle spécialement confectionnés pour la princesse chez Rumpelmayer.

— Colonel, dit la princesse, dès qu'on apprendra votre présence à Saint-Gratien, mes invités vont vous assaillir de questions. Peut-être préférez-vous savourer votre Xérès tranquillement dans ce petit salon avant de faire front à l'adversité? Je vous abandonne un instant, le temps de donner quelques instructions pour la soirée. Mais Mlle Crèvecœur vous tiendra compagnie.

Mathilde se leva du canapé, imitée par le colonel qui se remit au garde-à-vous en faisant sonner ses éperons. Sur le pas de la porte, la princesse se retourna :

— Je crois, d'ailleurs, que Mlle Crèvecœur a quelque chose à vous demander...

Julie resta seule avec Du Barail.

— Mon... mon fiancé, Alain Delatouche, sert dans votre régiment comme engagé volontaire avec le grade de sous-lieutenant.

Le colonel réfléchit quelques instants. Julie l'observait, guettant sa réaction.

— Sous-lieutenant Delatouche...

Il porta son verre à ses lèvres et le reposa. Le silence devint lourd. Lorsque Julie reprit la parole, sa voix était voilée d'un sanglot.

— Colonel Du Barail, pour moi, Alain, c'est... c'est ce que j'ai de plus cher au monde. Il avait juré de m'écrire aussitôt débarqué à la Vera Cruz. Mais je n'ai aucune nouvelle depuis plus de quatre mois...

Du Barail marmonna quelque chose au sujet de ce « fichu courrier ». Son embarras était visible. Il vida son verre presque avec fureur. Julie eut l'impression qu'il aurait préféré l'assaut des invités de la princesse à ce tête-à-tête.

— Colonel, dit-elle, oubliez que je suis une femme. Sachez que je suis capable d'entendre n'importe quelle vérité. Je ne suis venue à Saint-Gratien que dans l'espoir de pouvoir vous parler seule à seul. De pouvoir vous parler d'Alain Delatouche. Si vous pouvez me fournir un renseignement à son sujet, je dis bien un renseignement et non pas un espoir, vous me rendrez le goût de vivre.

Sa voix se fit suppliante.

— Je vous en prie, colonel. Aidez-moi...

Du Barail s'épongea le front avec un mouchoir de soie qu'il extirpa de sa manche.

— Mademoiselle, dit-il, les guerres ce sont de sales affaires. Il ne faut jamais le dire quand on est du métier, mais c'est la vérité.

Julie fit un immense effort pour conserver son calme. Elle avait le pressentiment d'une mauvaise nouvelle et elle se demandait si elle y était vraiment préparée. Pendant ce temps, sous l'effet du Xérès, et aussi parce que Julie était pour ainsi dire apparentée à son cher régiment, Du Barail soliloquait comme s'il se trouvait sous la tente, quelque part dans le djebel.

— La guerre au Mexique, c'est encore un peu plus sale que d'habitude parce qu'on se bat contre un ennemi souvent sans uniforme et qui a le peuple pour lui. Et aussi parce que ce Maximilien n'est qu'un empereur en papier. Et aussi parce qu'on ne sait pas exactement ce qu'on est venu faire là. Voilà encore des vérités, mademoiselle, qui ne sont pas bonnes à dire.

— Il n'y a qu'une seule vérité qui m'intéresse, colonel Du Barail. L'amour remplace toutes les autres vérités parce qu'il les contient toutes!

Le colonel arpentait le salon. Ses bottes vernies grinçaient horriblement et Julie se tordit sous ce bruit comme sous une douleur.

— Il me semble bien que le nom de votre fiancé figurait sur un rapport que j'avais reçu à la Vera Cruz peu avant mon départ pour la France.

— Vous n'en êtes pas certain, colonel?

Le colonel arrêta sa marche.

— Si. J'en suis certain.

Julie se jura de ne plus l'interrompre.

— Ce rapport avait été rédigé par un capitaine du Douzième qui tenait un village fortifié de montagne, un *pueblo* quelque part entre Durango et Mazatlan, dans la province du Sinaloa.

Il s'interrompit.

— Ce que je vous confie là, ce sont des secrets militaires.

— Je sais bien, murmura Julie, mais je vous jure que je sais garder les secrets.

Elle avait trouvé les paroles susceptibles de rassurer le scrupuleux Du Barail.

— Ne vous hâtez surtout pas de conclure prématurément, dit le colonel en reprenant place sur le canapé. Il était dit dans ce rapport que Delatouche et les quatre hommes qui se trouvaient avec lui étaient tombés entre les mains de Juarez...

Julie crut que son cœur allait s'arrêter de battre. Il était de notoriété publique que Juarez ne faisait pas de quartier. En un éclair, Julie prit la décision de se faire carmélite.

— Mais Delatouche a eu une veine de...

Le colonel sentit qu'il allait dire une énormité. Il se rattrapa de justesse.

— ... de chasseur de France. Il a eu la chance d'aboutir entre les mains du gouverneur Rosalès, alors qu'il avait été blessé au cours de l'engagement. La propre fille du gouverneur de Culiacan s'est occupée de lui. Comme quoi, tous les Juaristes ne sont pas forcément des sanguinaires.

— La fille du gouverneur de Culiacan? s'écria Julie, bouleversée de savoir son amant blessé, soulagée de le savoir encore en vie et piquée au vif en apprenant l'existence d'une fille de gouverneur.

Elle se souvint d'un roman qu'elle avait lu en cachette à la pension Beaujon, où la fille d'un gouverneur de prison tombait amoureuse d'un prisonnier de son père, un certain Fabrice. Mais cela se passait en Italie et non pas au Mexique.

— Selon le témoignage d'un survivant, poursuivit Du Barail, Doña Carmen avait fait transporter le jeune homme dans l'hacienda paternelle pour mieux pouvoir le soigner.

Julie choisit la générosité.

— Peut-être lui a-t-elle de la sorte sauvé la vie.

Le colonel baissa la tête.

— Sans aucun doute, concéda-t-il. En fait, nul, depuis, n'a plus entendu parler du sous-lieutenant Delatouche et son nom figure sur la liste des... des héros disparus.

Partagée entre une foule de sentiments, Julie ne savait plus que penser. Une chose, cependant, était certaine : Alain était vivant. Prisonnier des Mexicains, certes, mais vivant.

44

— Rayez son nom de votre liste, colonel, s'écria Julie. Mon fiancé est de cette race d'hommes capables de se tirer de toutes les situations. Il est vivant et vous le reverrez un jour très prochain.

Julie se garda bien de livrer au colonel le fond de sa pensée. Alain avait toujours eu conscience que cette guerre du Mexique était une « sale affaire » et la sympathie des deux amants allait bien plus aux « rebelles » de Juarez qu'aux « alliés » des Français. Situation paradoxale quand on pensait que le jeune homme guerroyait là-bas sous la vareuse d'un chasseur de France. Peut-être avait-il profité de l'occasion qui s'offrait pour conclure un armistice personnel.

— Bon sang! disait Du Barail, vous, au moins, vous avez du cœur au ventre. Vous avez raison d'être optimiste, mais il faut que vous sachiez tout.

— Parce qu'il y a autre chose? fit Julie, alarmée.

— Dans ce pays-là, rien n'est jamais simple, maugréa le colonel. En recevant ce rapport, j'en ai reçu un autre sous forme de dépêche m'apprenant la mort du gouverneur Rosalès, victime d'une intrigue de palais!

Julie devint aussi pâle que le mouchoir de soie du colonel Du Barail.

— Mort?

C'est d'une voix à peine perceptible que Julie avait prononcé ce mot. Le colonel était désireux de la rassurer. Elle lui en imposait.

— Au Mexique, dit-il, ces gens-là meurent facilement.

La porte du salon s'ouvrit brutalement. Une voix lança :

— Il est là!

C'était la petite comtesse de Contades qui, à la tête d'une escouade de femmes du monde, était partie à la recherche du beau colonel, disparu à peine arrivé.

— Colonel, cher colonel, minauda-t-elle, venez nous

départager : est-il exact que les rebelles de cet affreux Juarez clouent leurs prisonniers sur des poteaux, tout nus, après les avoir enduits de miel, et qu'ils les abandonnent ensuite à la voracité des scorpions?

Julie était sur le point de se jeter sur la comtesse pour lui faire subir un sort analogue à celui des prisonniers de Juarez, lorsque la princesse Mathilde surgit à ses côtés, la prit par le bras avec une douce autorité et l'entraîna le long d'un couloir désert jusqu'à son boudoir, une petite pièce tendue de soie bleue.

Autour de Julie, les murs bleus commençaient à tourner.

Mathilde la fit s'allonger sur un lit de repos semblable à celui de Madame Récamier et lui tendit un verre d'eau qui se trouvait posé sur une table de marqueterie.

— Bois ceci, Julie... Et si tu as envie de pleurer, laisse-toi aller surtout.

Julie n'avait pas envie de pleurer, mais d'agir. Elle raconta à sa protectrice tout ce qu'elle venait d'apprendre de la bouche du colonel Du Barail et Mathilde resta silencieuse un long moment.

— Voilà donc la raison de son silence, dit-elle enfin. S'il est encore en vie, il cherchera sans doute à s'évader. Mais une évasion de chez les Juaristes ne doit pas être facile à réussir. Surtout pour un blessé.

— Sans doute faudra-t-il l'aider, dit posément Julie.

Mathilde la regarda, effarée.

— L'aider?

Julie Crèvecœur avait retrouvé toute son énergie et son esprit de décision. Les couleurs lui étaient revenues.

— Il y a certainement moyen de lui venir en aide, s'écria-t-elle. Je ne vois pas encore comment, mais je trouverai.

Elle rayonnait.

— Je trouverai, madame, quoi qu'il m'en coûtera!

Deux jours plus tard, au début de l'après-midi, Julie Crèvecœur pénétra dans le bureau de son tuteur, à la banque Gaspard, rue Laffitte. Elle y venait dans un but très précis, en sachant d'avance qu'elle allait affronter en la personne du banquier un adversaire difficile et dangereux. Elle avait longuement réfléchi à la démarche qu'elle était en train d'accomplir. Pour commencer, après son retour de Saint-Gratien, elle avait dressé une sorte de plan de campagne : elle ne pouvait aider Alain qu'en étant sur place, au Mexique. Pour cela, il lui fallait trouver non seulement de quoi payer son voyage mais aussi le moyen de lui faire parvenir des nouvelles, des vivres, de l'argent. Elle cultivait le vague espoir que les consciences des geôliers mexicains étaient peut-être sensibles à la fascination de l'or. Et elle entrevoyait la possibilité d'acheter la liberté du captif ou du moins de l'aider à s'évader, en y mettant le prix. L'entreprise nécessitait une mise de fonds sérieuse. Il était difficile, certes, d'en fixer le montant, mais Julie s'était arrêtée sur un certain chiffre qui lui paraissait raisonnable. Elle se rendit compte évidemment que, s'il lui fallait acheter des consciences, personne ne pouvait par avance en évaluer le prix. Elle n'avait aucune idée comment elle allait s'y prendre pour demander 20 000 francs à son tuteur. Mais, celui-ci étant dépositaire de la fortune de Julie, elle estimait qu'il ne pouvait lui refuser cette somme. Après tout, elle n'était plus une enfant et pouvait avoir besoin d'argent pour son usage personnel. C'est ainsi qu'elle essayait de se donner du courage par des raisonnements empreints d'une logique irréfutable.

L'huissier l'avait d'abord fait asseoir dans une antichambre réservée aux visiteurs de marque, en attendant que M. Gaspard pût la recevoir, dans son bureau à la fois sobre et fastueux où des boiseries de chêne montaient jusqu'à la hauteur de la cheminée. Les murs étaient tendus de cuir de Cordoue.

Gaspard n'avait pas l'habitude de voir Julie à sa banque. Ces derniers temps, elle n'avait guère quitté Auteuil. Depuis la fameuse soirée au théâtre des Variétés, elle avait refusé de sortir avec son tuteur et ce dernier avait été heureusement surpris quand elle lui annonça qu'elle se rendait à l'invitation de la princesse Mathilde Bonaparte.

— Comment cela s'est-il passé à Saint-Gratien?

Gaspard avait lui-même profité de l'absence de sa pupille pour déserter sa maison d'Auteuil. Julie le savait par Antoinette. Elle fit de son mieux pour prendre un ton neutre, pour ne rien laisser paraître de son émotion. Car elle savait que de la démarche qu'elle avait décidé d'entreprendre auprès de son tuteur dépendait tout son avenir.

— C'est toujours un peu la même chose : Capoul et Mme Alboni ont chanté, Taillade a dit des vers et... et un sénateur qui se prétend de l'opposition s'en est pris à la crinoline...

Gaspard haussa un sourcil.

— On peut ne pas aimer la crinoline sans pour autant être de l'opposition.

— Le sénateur en question parlait de la crinoline comme d'un « méfait social », dit Julie.

Elle constata que son tuteur avait envie de rire et elle se disait que c'était de bon augure. La princesse Mathilde lui avait expliqué un jour que les femmes qui savaient faire rire les hommes obtenaient d'eux tout ce qu'elles voulaient.

— Le fait est, fit Gaspard, que les femmes se ruinent pour leurs toilettes et nous ruinent par contre-coup.

La vivacité d'esprit de Julie lui dicta sa réponse :

— Je serais étonnée qu'on puisse vous ruiner avec une simple crinoline, fût-elle brodée d'or et couverte d'émeraudes!

Elle regretta aussitôt d'avoir prononcé cette phrase, car elle rendit au banquier tout son sérieux. Il jeta un coup d'œil à la pendule Louis XVI qui garnissait la cheminée. Il fallait se livrer à une véritable gymnastique pour en déchiffrer l'heure, car c'était un objet d'art à cadran mobile : à la place de la grande aiguille il y avait un serpent.

— Si vous avez pris la peine de venir me voir rue Laffitte, c'est que vous aviez sans doute quelque chose de particulier à me demander?

— C'est exact, dit Julie. Je suppose que vous n'aimeriez pas qu'on vous dérange sans objet précis.

Rémy Gaspard se leva de son bureau, traversa la pièce, ouvrit une porte encastrée dans le cuir de Cordoue, dit quelques mots à un invisible secrétaire, puis revint à sa pupille. Julie eut l'impression désagréable qu'il voulait l'intimider.

Le banquier reprit place derrière son bureau.

— Peut-être vous êtes-vous dit : mon tuteur est bien seul, il travaille trop, il perd les plus belles années de sa vie dans un sombre bureau de la rue Laffitte... Pourquoi ne pas lui rendre visite, de temps à autre, simplement pour bavarder un peu avec lui?

Julie trouva qu'il exagérait un peu.

— Comment pourrais-je me dire des choses pareilles quand je sais fort bien que rien de tout cela ne correspond à la réalité?

De nouveau, le banquier se dérida.

— Décidément, vous avez grandi trop vite, ma chère.

Il croisa les bras, se cala dans son fauteuil et regarda la jeune fille dans le blanc des yeux.

— Donc, vous avez besoin d'argent.

Julie resta abasourdie : ainsi donc, son tuteur avait

pris les devants, lui coupant l'herbe sous les pieds. Elle retrouva très vite son sang-froid.

— En effet. J'ai... j'ai besoin d'une certaine somme.

— Puis-je vous demander quel usage vous comptez en faire?

— Puis-je vous répondre que cela ne concerne que moi?

Cette phrase venait d'échapper à Julie et elle fut stupéfaite de l'avoir prononcée. Gaspard décroisa les bras et posa ses mains à plat sur la table Louis XVI surchargée de dorures qui lui servait de bureau. Il avait des mains larges et puissantes, aux doigts carrés, soigneusement manucurés. Ces mains, se disait Julie, ne pouvaient appartenir à un homme de salon. Julie les imaginait agrippées au manche d'une charrue ou saisissant une hache. C'était une pensée absurde et la jeune fille ne comprenait pas comment elle pouvait se sentir attirée par les mains de M. Gaspard à un moment où elle ne devait avoir qu'une seule préoccupation : Alain.

— Permettez-moi de vous rappeler que, jusqu'à l'âge de votre majorité, je suis non seulement responsable de vous sur le plan moral et physique, mais encore sur le plan matériel. Vous aviez une certaine fortune. Sous ma gestion, elle est devenue une fortune certaine. J'ai fait ce qui était en mon pouvoir pour vous donner une éducation, pour vous préparer à... aux problèmes qui se poseront à vous plus tard. Ce qui peut vous paraître de la sévérité n'est que de la sagesse. Il faut que vous appreniez à connaître l'argent à présent que vous connaissez la littérature française. Je veux bien vous en remettre, mais je veux connaître l'usage que vous en ferez. S'agit-il d'une acquisition? D'un cheval? D'une voiture? D'un bijou?

Julie, qui avait su si bien cacher son amour pour Alain, était incapable de mentir. Il lui aurait été si facile de prétexter l'une ou l'autre de ces envies. Au lieu de quoi, elle se rebiffa.

— Vous devriez savoir, monsieur, que je n'ai aucun goût de luxe.

La réponse vint, cinglante :

— Je trouve cela plutôt inquiétant à une époque où le luxe est devenu une nécessité.

Julie se vit entraînée sur une pente dangereuse.

— Vous n'avez jamais pensé que l'argent pouvait servir aussi à des causes plus nobles que l'achat d'une voiture ou d'un bijou?

— Il s'agirait de s'entendre sur ce que vous appelez une cause plus noble.

Un léger temps, puis :

— Combien?

— Vingt mille francs.

Rémy Gaspard, qui était pourtant habitué aux exigences des femmes, fut quelque peu estomaqué.

— Pourquoi pas cent mille? Pourquoi pas un million?

Julie réalisa qu'il lui aurait suffi de trouver une justification, n'importe laquelle, pour que son tuteur se montrât plus compréhensif. Elle aurait dû le connaître suffisamment pour savoir qu'il comprenait que les femmes dépensaient de l'argent pour le plaisir et sans compter, habitué qu'il était à voir ses maîtresses jeter par la fenêtre des sommes folles. Mais l'attitude de Julie l'avait cabré. Et il était trop tard pour revenir en arrière, pour invoquer quelque coûteuse fantaisie, quelque envie irrésistible que le banquier aurait taxée de « folie », mais dont il aurait endossé la responsabilité, ne serait-ce que pour s'en vanter ultérieurement à son cercle : « Vous ne connaissez pas la dernière lubie de Julie Crèvecœur? » Excellente réclame pour attirer les prétendants que fascinaient les héritières...

Julie perdait pied. Sans argent, rien n'était envisageable. En raclant ses fonds de tiroir, elle trouverait juste de quoi payer son voyage en chemin de fer jusqu'à Saint-Nazaire d'où partaient les paquebots à destination du Mexique.

— Vous refusez de m'avancer cet argent? dit-elle d'une voix tremblante.

Elle chercha désespérément quelque argument à lui opposer, mais elle n'en trouva aucun.

Gaspard eut un geste d'impatience.

— Évidemment. Et dans votre propre intérêt. N'oubliez jamais, ma chère, que vous êtes mineure et que je suis responsable de vous.

Il se leva pour la raccompagner comme s'il s'était agi d'une visiteuse, d'une cliente et non pas de sa pupille. Julie en fut frappée : comment pouvait-on vivre ensemble et rester si parfaitement étrangers l'un à l'autre?

— Depuis que vous avez quitté la pension Beaujon, vous n'êtes plus la même, dit Gaspard. Il serait grand temps de vous marier. Il faudrait que nous en parlions très sérieusement.

— Je ne suis pas venue vous voir ici pour parler mariage, dit Julie. (Tous ses espoirs s'effondraient! Elle se sentait infiniment misérable.)

— Je sais. Vous êtes venue parler argent. Mais l'un n'est pas incompatible avec l'autre.

Julie se révolta. La froideur de cet homme lui paraissait monstrueuse.

— A vous entendre, on dirait que vous ignorez tout de ce qui vient du cœur.

— Je laisse ce soin aux médecins, ma petite Julie. Dans les dictionnaires le cœur est défini comme un organe thoracique destiné à faire circuler le sang!

Julie avait atteint la porte conduisant dans l'antichambre. Son tuteur lui posa la main sur le bras.

— Dites-moi à quelle « noble cause » vous comptez

employer ces vingt mille francs et nous pourrions discuter éventuellement en amis.

Julie se recula, comme si le serpent de la pendule Louis XVI venait de la mordre.

— Monsieur, s'écria-t-elle, les circonstances m'ont privée d'un bien précieux entre tous, le bonheur d'avoir des parents. En compensation, j'ai de la fortune. Vous êtes mon tuteur, soit, mais aussi mon banquier. Ce matin, c'est le banquier que je suis venue voir. Faut-il rendre des comptes à son banquier?

— A son banquier, non. A son tuteur, oui.

— C'est votre dernier mot?

— Oui, Julie.

Elle se rendit compte que tout était perdu, que désormais Gaspard se méfierait d'elle, exigerait des comptes détaillés.

— Alors, excusez-moi de vous avoir dérangé, dit-elle d'une voix mal assurée.

Et elle s'en alla, très vite, pour ne pas lui montrer qu'elle avait les yeux pleins de larmes.

Lorsque Julie se retrouva sur le boulevard, elle commença par marcher droit devant elle, sans but, la tête vide, habitée par le désespoir. En voyant la cohorte des lorettes froufroutantes installées aux terrasses des cafés, elle se mit à envier leur sort. Elles étaient libres, au moins. Libres de faire ce que bon leur semblait. Libres de leur destin. Pomponnées, parfumées, futiles, rapaces. Quelques-unes, dévorées d'ambition, faisaient de grandes carrières. Julie pensait à Blanche d'Antigny. Elle se demandait si Blanche était capable de ruiner M. Gaspard... Dans ce cas, la fortune de Julie Crèvecœur partirait en morceaux. Ou tout simplement en fumée. Peut-être Blanche jouait-elle dans les casinos? Tout l'or des coffres de la banque Gaspard raflé par le râteau d'un croupier, à Biarritz...

C'était déjà le milieu de l'après-midi. Le boulevard s'animait de plus en plus. Des passants, dandys tirés à quatre épingles, avaient un œil sur la terrasse des cafés et l'autre sur l'adorable silhouette de Julie Crèvecœur, longue et fine dans son « mousquetaire » boutonné jusqu'au cou. Au *Café napolitain*, les lorettes faisaient front aux promeneurs, rangées en ligne, insolentes avec le public et familières avec les garçons de café en tablier blanc. Un homme d'une trentaine d'années, sanglé dans une jaquette de couleur mastic, une rose à la boutonnière, suivait Julie à distance, s'arrêtant de temps à autre pour rallumer un cigare qui s'éteignait obstinément. Agacée, Julie héla un fiacre.

— Vous êtes libre?

Le cocher se pencha.

— Ça dépend...

— Ça dépend de quoi?

— De la course que vous voulez faire, ma p'tite dame. Si c'est une course de moins d'un quart d'heure, je vous dis non parce que ça m'intéresse pas. Si c'est une course de plus d'un quart d'heure, faudrait pas que ça soye une course de quarante-cinq minutes, parce que mon cheval est fatigué.

Julie s'installa sur la banquette capitonnée.

— Allez droit devant vous et arrêtez-moi quand vous voudrez.

Sa voix était infiniment lasse.

— Faut pas m'en vouloir, fit le cocher, conciliant, mais après cette course-là, je rentre. J'suis sur mon siège depuis 6 heures du matin. Ça ne vous dit rien, ma p'tite dame? Douze heures à la file?

Le fiacre s'ébranla.

— Tout droit, ça nous mène vers Saint-Philippe du Roule, dit l'homme au bout d'un moment.

Saint-Philippe du Roule... Tout près de là, rue de Courcelles, se trouvait la résidence parisienne de Ma-

54

thilde Bonaparte. Avec un peu de chance, la princesse était chez elle. S'il y avait une personne au monde susceptible de donner un conseil utile à Julie Crève-cœur, c'était Mathilde.

— Allons rue de Courcelles, dit Julie, s'adressant au cocher.

Celui-ci agita son fouet.

— Du nerf, Rosalie.

Il était en veine de confidences.

— Vous ne savez pas ce que nous avons comme salaire quotidien, ma p'tite dame? Quatre francs par jour garantis par la Compagnie.

Il guidait son cheval à un carrefour très encombré.

— Quatre francs par jour, ce n'est pas assez, dit Julie qui pensa, effarée, qu'elle venait d'exiger vingt mille francs de son tuteur.

— La Compagnie nous fout dedans, dit le cocher en coinçant contre le bord du trottoir un équipage de maître aux chevaux piaffants.

— Et pan dans l'œil! dit-il avec une sombre satisfaction. Vive la liberté! Je parle de la liberté des voitures publiques, naturellement.

Vive la liberté... Julie toucha l'épaule du cocher.

— C'est là!

L'homme, abasourdi, tira sur les rênes. Rosalie hennissait. Le fiacre s'était arrêté aux abords d'un palais gardé militairement.

— Mince alors! C'est pas là que crèche la cousine à l'Empereur?

Julie s'apprêtait à descendre.

— Vous voulez bien m'attendre un moment?

— J'sais pas si j'ai le droit, bougonna le cocher.

— Vous avez le droit, dit Julie avec une douce autorité.

Elle se dirigea vers le poste de garde installé à l'entrée du palais. L'officier de service la reconnut et l'escorta jusqu'à l'intérieur où elle fut reçue aussitôt par le chevalier d'honneur de la princesse, le général de division Bougenel, qui l'admirait fort. Le comte Horace de Viel-Castel disait de lui : « familiarisé avec la poudre mais qui ne l'a pas inventée! » C'était, au demeurant, la crème des hommes, dévoué corps et âme à sa princesse. Il se tenait au pied d'un escalier de marbre où des draperies chinoises tombaient en cascades soyeuses. Julie s'émerveillait toujours de l'extraordinaire déploiement de personnages protocolaires, revêtus d'uniformes étincelants, qui composaient à Paris le service d'honneur de Mathilde Bonaparte. Pour en arriver à cette simple phrase :

— Son Altesse impériale n'est malheureusement pas là.

Bougenel raccompagna lui-même Julie à son fiacre. Le cocher, qui somnolait, faillit, de saisissement, tomber de son siège. Julie était désemparée. Le vieux général l'aida à grimper sur le marchepied, retint sa petite main un instant dans la sienne, l'attira un peu vers lui :

— C'était important?

— Très important, murmura Julie.

Il y avait une telle tristesse dans sa voix que Bougenel en fut touché. Il se tourna vers le cocher.

— Déposez mademoiselle au 82 de la rue Saint-Honoré, lui dit-il. (Et à Julie :) Vous y trouverez Son Altesse impériale.

Le fiacre s'ébranla.

— J'aime pas les militaires, remarqua le cocher. Si c'était pas vous, j'aurais refusé la course. Rosalie en a ras le bol.

Il reprit la direction des boulevards.

— Le 82 de la rue Saint-Honoré, c'est bien chez l'Emailleuse?

Julie acquiesça. Le cocher poursuivait la conversation.

— C'est tout de même pas à votre âge qu'on fréquente les salons d'embellissement à l'usage du beau sexe?

Julie l'écouta à peine. Elle se demandait quel accueil lui réserverait Mathilde. Ce n'était pas la première fois qu'elle allait retrouver sa protectrice rue Saint-Honoré dans les salons de la fameuse Rachel, dite « L'Emailleuse ». Si la princesse refusait de l'écouter, il faudrait vendre quelque objet de valeur. Mais quoi? Chez son tuteur à Auteuil, rien n'appartenait à Julie Crèvecœur...

Les murs étaient blancs. Le divan circulaire était blanc. Les fauteuils, les chaises, les tabourets étaient blancs ainsi que les coiffeuses et les tables de toilette. Seules taches de couleur dans cette blancheur immaculée : les alcools et eaux parfumées, les crèmes et les poudres, tout l'arsenal des produits inventés par Rachel, contenus dans des flacons et des boîtes transparentes. Des jeunes femmes très pâles, vêtues de blanc, à la grecque, circulaient en silence à travers une enfilade de pièces toutes meublées comme des boudoirs ou des cabinets de toilette qu'on pouvait séparer les uns des autres en tirant de lourds rideaux de moire blanche. Le personnel de Rachel ressemblait étrangement à Rachel : mêmes cheveux tressés, même maquillage fantomatique, même taille, même allure. Ainsi chacune de ses clientes avait l'impression que la célèbre émailleuse avait délégué auprès d'elle une espèce de double, une copie conforme à l'original. Julie, d'habitude, trouvait l'endroit insolite et fort divertissant. Mais, aujourd'hui, elle ne prêta aucune attention au cérémonial ordonné par cette Anglaise qui avait le génie du commerce et se faisait appeler Rachel. Quelqu'un s'était approché de Julie.

— Mademoiselle désire?

— La princesse Mathilde Bonaparte.

L'employée disparut sans répondre. Elle revint peu

après escortant Rachel en personne. Celle-ci reconnut Julie Crèvecœur.

— Son Altesse impériale vous attend, miss?

Elle avait un accent britannique prononcé.

— Non, dit Julie.

Rachel la fit asseoir, s'esquiva. Quelques instants s'écoulèrent puis elle reparut et fit signe à Julie de la suivre.

— Son Altesse impériale vous prie de ne pas vous effrayer à sa vue : je viens de lui faire un masque aux héliotropes!

L'émailleuse fit entrer Julie dans un cabinet semblable aux autres, quoique un peu plus vaste : c'était là que Rachel recevait ses clientes les plus illustres, celles dont elle s'occupait elle-même. Quoique prévenue, Julie recula un peu, en découvrant son amie mi-assise mi-couchée sur une chaise longue, le visage recouvert d'une pâte épaisse d'un jaune criard. Julie ne reconnaissait de Mathilde que le regard aigu, chaleureux. La princesse portait une sorte de camisole blanche d'où émergeaient ses pieds nus sur lesquels se penchait une pédicure. Elle ne manifesta aucune surprise en voyant entrer Julie. Et elle ne lui demanda pas davantage comment elle avait appris sa présence rue Saint-Honoré.

— Assieds-toi, Julie, articula-t-elle, essayant de sourire sous son masque. Et ne te moque pas de moi...

— Loin de moi cette idée, madame, dit Julie.

Mathilde avait du mal à parler. Elle fit signe à Rachel d'approcher.

— Regardez bien Julie Crèvecœur, Rachel, et avouez qu'aucun de vos fards n'arrivera jamais à la cheville de ceux de la nature.

Rachel fixa Julie d'un regard auquel rien n'échappait. Elle détaillait les visages sans la moindre indulgence.

— A l'âge de Mlle Crèvecœur, on nourrit sa peau de l'air du temps. Cependant, je mets mademoiselle

58

Crèvecœur en garde contre les méfaits du soleil. Dans certains pays méditerranéens, j'ai vu des jeunes filles littéralement... comment dire... littéralement BRONZEES par le soleil! Cuites! C'est un spectacle affligeant. Je suppose que Mademoiselle est une cavalière émérite?

— Comment l'avez-vous deviné? s'étonna Julie.

— A votre assiette. Vous êtes assise sur cette chaise volante comme en selle d'un pur-sang!

Mathilde voulut rire, mais son masque, rigide, l'en empêcha.

— Je préconise pour les promenades à cheval et au soleil une légère gaze qui couvrirait entièrement le visage, afin de le protéger contre les rayons meurtriers.

Ayant ainsi prononcé son oracle, la pythonisse de la beauté des femmes se retira, non sans avoir esquissé une profonde révérence en direction de l'Altesse impériale.

— Je suis désolée de venir vous ennuyer de la sorte, madame, mais j'avais absolument besoin de vous parler, dit Julie lorsque le rideau blanc se fut refermé sur Rachel.

La princesse lui fit signe d'approcher sa chaise, puis elle se pencha vers la pédicure.

— Laissez-nous, mon petit.

La jeune femme se leva, fit la révérence, elle aussi, et laissa Julie en tête à tête avec sa protectrice.

— Je t'écoute, Julie.

Au fur et à mesure que le masque se solidifiait sur sa figure, elle avait davantage de mal à s'exprimer.

— Mais surtout, évite de me faire rire. C'est douloureux.

— Je n'ai aucune envie de vous faire rire, Altesse, dit Julie. Je viens de chez mon tuteur...

Julie ne put observer aucune réaction sur le visage enduit de pâte de la princesse. Mais dans le regard de Mathilde passa comme un éclair de surprise.

— Je suis allée rue Laffitte, poursuivit Julie, pour demander de l'argent à M. Gaspard.

— Et il te l'a refusé?

— Oui, madame. Je lui ai demandé vingt mille francs. D'abord il s'est moqué de moi. Ensuite, il m'a fait comprendre qu'il acceptait éventuellement de me remettre une telle somme à condition de justifier l'usage que je voulais en faire.

Il y eut un long silence. Julie ne pouvait deviner la réaction de la princesse. On eût dit que celle-ci se cachait derrière son masque aux héliotropes. Elle avait même fermé les yeux. La jeune fille supposait que Mathilde avait compris que ces vingt mille francs étaient destinés à financer un voyage au Mexique, projet que n'importe quelle personne raisonnable aurait taxé d'insensé. La princesse allait-elle décourager Julie? Lui faire de la morale? Se pourrait-il qu'elle fût soulagée devant l'intransigeance de M. Gaspard? Ou, au contraire, n'était-elle pas en train de penser qu'à la place de Julie elle aurait agi de la même façon? Dans ce cas, supputa Julie, Mathilde Bonaparte était peut-être en mesure de trouver une solution à ce problème d'argent, lancinant, et en apparence insoluble.

Le silence se prolongea et Julie s'affola : il était clair que la princesse ne pourrait se faire à l'idée de voir Julie Crèvecœur partir seule pour un pays d'où elle risquait de ne jamais revenir.

Les lèvres de Mathilde Bonaparte remuèrent avec difficulté.

— Mon masque sera sec dans dix minutes, chuchota-t-elle. Si tu veux bien rester avec moi, nous rentrerons ensemble rue de Courcelles. J'ai... j'ai quelque chose à te remettre en main propre.

Il faisait nuit lorsque la daumont de Mathilde Bonaparte se présenta à l'entrée de l'hôtel de la rue de Courcelles. Des ordres brefs fusèrent, la garde d'honneur présenta les armes, quelques badauds applaudirent. Le portail se referma sur le brillant équipage.

Bougenel se tenait au pied du perron. Il fit un petit clin d'œil à Julie Crèvecœur. Celle-ci se torturait l'esprit, ne sachant comment interpréter le silence de son amie. Pendant le trajet de la rue Saint-Honoré à la rue de Courcelles, elle avait en tout cas respecté le mutisme de la princesse.

En traversant les salons de réception, Mathilde, d'un signe de tête, salua sa dame d'honneur, la baronne de Serlay, qui se tenait là avec d'autres dames de sa suite : la comtesse de Saint-Marsault, Mme Ratomska et Mme Frédéric de Reiset.

— Bonsoir, mesdames, disait-elle, répondant aux révérences. Je vous verrai tout à l'heure...

Julie suivait la princesse qui gravissait les marches du grand escalier où des paons espacés sous la rampe laissaient traîner leurs queues irisées comme des écrins entrouverts. Mathilde, au lieu de se diriger vers ses appartements privés où elle recevait d'habitude ses intimes, pénétra dans un cabinet de travail du premier étage. Là, se combinaient le rouge, le vert et l'or sombre des bronzes. Les murs étaient tendus de soie. La pièce était encombrée d'un mobilier lourd et disparate. Julie y retrouva l'inévitable bureau Louis XVI orné de bronzes. Sur la cheminée de marbre rouge deux vases chinois se faisaient face. Les tables étaient encombrées de bibelots, de vases et de photographies. Aux quatre coins de la pièce, il y avait des statues de femme en bronze portant des torchères.

Toujours silencieuse, Mathilde s'approcha de l'une d'elles. Elle prit entre ses doigts le sein gauche de la porteuse de torchère, appuya sur le téton : un mécanisme intérieur joua, le sein s'ouvrit comme la porte d'un coffre-fort. En d'autres circonstances, Julie aurait trouvé cela très amusant. C'était une cachette idéale pour des lettres d'amour...

De ce coffre aux formes insolites, la princesse retira un petit paquet qu'elle tendit à Julie qui reconnut immédiatement l'écriture d'Alain.

— Lis.

Julie lut à voix haute :

— « A remettre à Julie Crèvecœur au cas où je ne reviendrais pas du Mexique. »

La voix de Julie se brisa. Ainsi donc, la princesse avait eu des renseignements qui lui permettaient de croire qu'Alain était mort. Un bref instant Julie fut prête à se laisser aller au plus noir pessimisme, prête à abandonner la lutte. Mathilde Bonaparte la ramena aux réalités de l'heure présente.

— Ne t'y trompe pas, Julie, si je te donne ce paquet c'est parce que je suis persuadée qu'Alain est vivant. Ton amoureux me l'a confié quelques jours avant de s'embarquer pour la Vera Cruz. Dans les circonstances présentes, il se pourrait que... que ceci puisse vous aider tous les deux.

Julie aurait volontiers embrassé la princesse. Comment avait-elle pu douter un instant d'elle-même et de sa volonté de vaincre tous les obstacles dressés entre elle et son grand amour.

— Je crois savoir, poursuivit Mathilde, quel but tu poursuivais en demandant vingt mille francs à ton tuteur. Cet argent, je pourrais le mettre à ta disposition, alors même que je ne devrais pas le faire. Mais puisque je suis dépositaire du paquet que voici, il me semble agir dans l'intérêt de celui que tu aimes en te le remettant aujourd'hui, pour ainsi dire prématurément. Qu'est-ce que tu attends pour l'ouvrir? Il contient peut-être la solution au problème que tu cherches à résoudre.

Pieusement, Julie défit l'emballage. Il y avait à l'intérieur un écrin très usagé muni d'un fermoir désuet.

— Cela date du temps de mon oncle, remarqua Mathilde.

— Votre oncle, Altesse?

— L'Empereur... Pas mon cousin, chérie. L'autre. Le vrai...

Julie essaya vainement de faire jouer la serrure du fermoir.

— Comme ceci, Julie.

L'écrin s'ouvrit et Julie poussa un cri de surprise : couchée sur un lit de velours rouge, une croix de Malte sertie de diamants et d'émeraudes. Julie ne connaissait pas grand-chose aux pierres précieuses, mais elle eut conscience que celles-ci étaient d'une rare beauté.

— On dirait une décoration! s'écria-t-elle.

Mathilde contempla la croix émaillée blanche dont la sobriété contrastait étrangement avec la somptuosité des pierres qui l'emboîtaient.

— La croix de l'ordre souverain de Saint-Jérusalem, plus connu sous le nom d'ordre de Malte, murmura la princesse.

Julie réalisa qu'il s'agissait d'un souvenir de famille. En effet, le général Delatouche avait été un personnage d'envergure que son petit-fils appelait « grand-père demi-solde ».

— Une fastueuse fantaisie, ajouta Mathilde.

— Pourquoi « fantaisie », Altesse?

La nièce du grand Empereur sortit la croix de son écrin, avec une sorte de tendresse.

— Ce n'est pas une croix de Malte ordinaire, dit-elle. Il y a de grandes chances pour qu'elle ait appartenu à l'Empereur lui-même qui en aura fait cadeau au grand-père d'Alain en récompense de quelque action d'éclat.

Pendant que Julie replaçait le bijou dans sa boîte, elle sentait peser sur elle le regard de son amie. Un regard plein de compassion. Mieux que des phrases, il exprimait la pensée secrète de la princesse. Celle-ci avait, bien sûr, deviné le projet que Julie Crèvecœur

avait conçu en apprenant que son amant était prisonnier de Juarez. Elle ne pouvait l'approuver ouvertement, pas plus qu'elle ne pouvait lui prêter une forte
somme d'argent sans qu'un jour ou l'autre le tuteur
de la jeune fille ne l'eût appris. Mais étant dépositaire
d'un bijou représentant le seul bien matériel que possédait Alain, elle avait pris la décision de le remettre
à Julie Crèvecœur. Celle-ci avait compris la signification de ce geste : la croix devait avoir une grande valeur et rien n'empêchait Julie Crèvecœur de la mettre
en gage. Oui, grâce à l'héritage de « grand-père demi-
solde » Julie allait pouvoir délivrer le petit-fils des
geôles mexicaines!

— A quoi penses-tu, Julie?

— Je pense à lui, Altesse...

Julie essaya de lutter contre les larmes, mais en
vain. Mathilde Bonaparte lui ouvrit ses bras... Julie
eut conscience qu'elle se serait jetée ainsi au cou de
sa mère.

— Pardon, madame, pardon... Je suis stupide, je le
sais... Je m'en veux. Je déteste me donner en spectacle. Je déteste les gens qui pleurent. Je ne pleure jamais, vous savez...

— Tu ne pleures pas assez, dit Mathilde. (Il y
avait une grande douceur dans sa voix.)

Lorsque Julie rentra à Auteuil, il était fort tard.
Dans la salle à manger, un seul couvert était mis. Antoinette apprit à sa maîtresse que Félicien avait été
chargé par M. Gaspard de dire à Mademoiselle que
Monsieur ne rentrerait pas pour dîner. Julie en
éprouva un grand soulagement. Après ce qui s'était
passé rue Laffitte, elle redoutait un tête-à-tête avec son
tuteur qui n'aurait pas manqué de remettre sur le tapis la conversation qu'il avait eue avec sa pupille
dans l'après-midi.

La salle à manger ouvrait directement sur le parc.

On pouvait deviner, à travers les branchages des arbres, la toiture du petit pavillon de chasse où Julie Crèvecœur avait passé les heures les plus exaltantes de son existence. La pièce, ovale, était décorée de faux marbre jaune de Sienne et vert de mer. Le banquier avait tout fait pour mettre en valeur les chaises en acajou exécutées jadis par Jacob pour le maréchal Davout. Dans les niches, creusées de chaque côté de la porte-fenêtre, il y avait deux torchères Louis XVI. Pour compléter cet ensemble d'une exemplaire sobriété, il y avait, sur le sol dallé, un tapis d'Aubusson de la fin du siècle dernier où l'on retrouvait, suprême raffinement, du jaune de Sienne et du vert de mer!

Antoinette servait sa maîtresse qui mangeait du bout des lèvres. Elle avait posé sur la table, près d'elle, le précieux petit paquet sur lequel la soubrette jeta des regards remplis de curiosité. Lorsqu'elle arriva avec le dessert préféré de Julie, un gâteau de riz, il n'y avait plus personne à table. Un courant d'air coucha la flamme des bougies qui éclairaient la salle à manger. Antoinette vit la porte-fenêtre entrouverte et comprit que sa maîtresse s'était rendue dans le pavillon au fond du parc.

Tout y était à sa place. Il y avait, dans la cheminée, une bûche à demi calcinée, et un grand désordre régnait dans la pièce qui avait été témoin des amours passionnées de Julie et d'Alain. La jeune fille s'allongea sur la peau d'ours et resta immobile un long moment. Puis elle ouvrit l'écrin, en sortit la croix de Malte. Elle joua avec le bijou comme un enfant. Elle finit par s'endormir, tenant serré dans sa main cet objet qui devait lui permettre, elle n'en doutait pas, de retrouver le seul être au monde qui comptait vraiment pour elle. Pour atteindre le but, elle était prête à prendre tous les risques.

Lorsqu'elle se réveilla, une heure plus tard, elle

était transie de froid. Antoinette se tenait près d'elle, un bougeoir à la main.

— Mademoiselle n'est pas raisonnable.

Julie retrouva ses esprits. Elle ouvrit sa main.

— Quelle merveille! s'écria la femme de chambre, découvrant la croix de Malte. (Et elle ajouta :) Ça doit en valoir, des sous...

— J'espère bien, murmura Julie avec ferveur.

Sur les instances d'Antoinette, elle avait réintégré sa chambre et son lit douillet où elle dormit à poings fermés jusqu'au milieu de la matinée du lendemain. A ce moment-là, sa femme de chambre vint la réveiller avec un bol de chocolat fumant. Elle tira les rideaux, s'inquiéta de savoir si Mademoiselle ne s'était pas enrhumée dans le petit pavillon, la veille au soir, et semblait pressée de redescendre.

— Si Mademoiselle veut bien m'excuser... Il y a la Colpin qui vient d'arriver avec ses cartons pleins de colifichets...

La Colpin était une revendeuse à la toilette qui venait périodiquement à Auteuil chargée de coffres et de cartons qu'elle déballait sous le regard ébloui des gens de maison. Au temps où Julie était heureuse, parce qu'on l'aimait et parce qu'elle était amoureuse, elle prenait grand plaisir à bavarder avec ce personnage peu ordinaire qui prétendait avoir été adorée par des ducs et des princes, au temps où elle était jeune et belle.

— Je sais que Mademoiselle a l'esprit ailleurs, dit Antoinette, mais si Mademoiselle voyait certain châle en cachemire des Indes, Mademoiselle en serait folle... Il aurait appartenu à madame de Castiglione qui l'a à peine porté, parce qu'elle en possède deux douzaines, des châles en cachemire des Indes... C'est la Colpin qui le dit.

Julie buvait son chocolat à petites gorgées.

— Si tu crois tout ce que raconte la Colpin, ma pauvre Antoinette... A l'entendre, les femmes du monde passeraient leur vie à revendre leurs toilettes après les avoir portées une fois ou deux...

Antoinette prépara un déshabillé mousseux et des mules garnies de cygne qu'elle posa au pied du lit.

— Mademoiselle a tort de se moquer, dit la femme de chambre. La Colpin connaît tout Paris. Elle n'est pas reçue dans les salons, mais dans les alcôves. Et que Mademoiselle me croie sur parole : il se traite des affaires bien plus considérables dans les alcôves que dans les salons.

Julie avait écouté le bavardage d'Antoinette d'une oreille distraite. Mais la dernière phrase la fit sursauter. Après tout, il y avait peut-être une parcelle de vérité dans cette philosophie de boudoir. Julie saisit son vêtement d'intérieur, l'enfila rapidement, chaussa ses mules et poussa sa femme de chambre vers la porte.

— Qu'est-ce qui te fait croire que j'ai l'esprit ailleurs? Un cachemire des Indes qui aurait appartenu à la Castiglione, voilà un objet qui vaut la peine d'être regardé de près, tu ne crois pas?

La brave Antoinette n'en revenait pas. Après avoir vu sa maîtresse, des semaines durant, prostrée dans une attitude de refus de tout ce qui pouvait paraître vain ou futile, elle était stupéfaite, ce matin-là, de lui voir retrouver sa fougue de naguère.

La Colpin sirotait son café à l'office, au milieu d'un extravagant déballage d'oripeaux. Julie s'était souvent demandé quel âge elle pouvait bien avoir. Mais la Colpin n'avait pas d'âge. Il semblait à Julie que son squelette tenait debout grâce aux chaînes, colliers et bracelets qui entouraient sa maigre personne comme les bandelettes enveloppaient le corps des momies égyptiennes. A chacun de ses mouvements, elle sonnait et carillonnait comme une procession. Quand elle vit paraître Julie Crèvecœur dans l'office, elle chercha sa canne pour se lever, mais Julie la força à rester assise.

— Finissez votre café, madame Colpin. Je ne suis pas pressée...

La vieille chouette darda sur celle qu'elle considérait comme la maîtresse des lieux un œil qui n'avait plus rien d'humain. Julie attribuait cette fixité du regard au maquillage outrancier qui cernait les yeux de la vieille d'un trait bistre.

— ... C'est vrai que vous avez mauvaise mine, mademoiselle Crèvecœur, dit-elle d'une voix rauque.

Elle souffrait d'un enrouement chronique qu'elle justifiait par une carrière fulgurante de chanteuse au Proche-Orient à une époque fort reculée. Julie lança à sa femme de chambre un regard sans aménité : Antoinette avait dû, lors d'un précédent passage de la Colpin, prononcer quelques paroles imprudentes sur l'incurable mélancolie de sa maîtresse.

— Montrez le châle à Mademoiselle, Colpin, lança Antoinette pour faire diversion.

Julie examina distraitement le cachemire. Il fallait absolument qu'elle ait une conversation en tête à tête avec la revendeuse. Antoinette était dévouée, mais bavarde.

— Et les éventails?

Elle n'avait posé cette question que pour forcer la revendeuse à déballer tout ce qui restait encore enfoui au fond des cartons.

— Un éventail rococo, colorié d'après Watteau, psalmodia celle-ci. Chez Duvelleroy, il vous aurait coûté quarante francs au moins. Chez la mère Colpin, la moitié.

Julie déplia et replia l'objet. Antoinette n'avait donc rien d'autre à faire pour rester là, bouche bée, devant toutes ces merveilles? La vieille crut que Julie hésitait.

68

— J'ai tort de vous parler argent, mademoiselle Crèvecœur, je sais à qui j'ai affaire. Vous choisissez ce qui vous plaît et ensuite vous m'oubliez. Jusqu'à mon prochain passage. Vous avez vu ce châle garni de dentelles? Et celui-là? Et mes brodequins... du maroquin anglais... Schumacher, rue Rameau, il vous demanderait trente-cinq francs pour des chaussures aussi raffinées. Pour quinze francs, elles sont à vous, mon ange. J'y perds, croyez-moi, mais j'aime tellement faire plaisir aux jolies jeunes filles, surtout quand elles sont tristes...

Encore! Julie protesta :

— Je ne suis pas triste, madame Colpin.

— Non, mais vous avez la tête ailleurs. Et à force d'avoir la tête ailleurs, on a une tête d'enterrement!

A cet instant on entendit la voix de Clovis, le valet de chambre de M. Gaspard :

— Antoinette... Antoinette...

La femme de chambre s'arracha avec peine au sortilège des éventails et des brodequins.

— Qu'est-ce qu'il y a?

Julie saisit l'occasion au vol.

— C'est Clovis. Il a sans doute besoin de toi, Antoinette. Mme Colpin n'est pas encore partie...

En soupirant, Antoinette arrangea son diadème amidonné qui avait un peu glissé, car elle l'avait fixé à la hâte, tout à l'heure, après avoir essayé une capote qui provenait, à ce qu'affirmait la Colpin, des ateliers de Mme Virol, modiste de l'Impératrice. Puis elle disparut en haut de l'escalier qui menait de l'office à l'étage.

Julie resta seule avec la colporteuse. Celle-ci la fixa de son œil d'oiseau nocturne.

— Et vous avez une tête d'enterrement parce que vous avez un chagrin d'amour. Je ne sais pas qui il est, mais il ne vaut pas une seule de vos larmes, mademoiselle Crèvecœur. Croyez-en la Colpin qui a été belle, richement entretenue et courtisée par des hommes que vous pouvez rencontrer chaque jour, caracolant au bois de Boulogne ou faisant de l'esprit au Jockey Club. Le temps qui efface notre beauté est notre plus farouche ennemi... Du gros de Naples pour faire une redingote, ça ne vous intéresse pas?

Julie ne prit même pas la peine de tâter l'étoffe.

— Madame Colpin, dit-elle, je me suis laissé dire que vous aviez encore beaucoup de relations.

La revendeuse fit la grimace.

— Depuis que les hommes ne me regardent plus, les femmes m'admettent dans leur intimité. Quelle déchéance... Quand j'avais votre âge, elles me haïssaient... A présent, j'ai mes petites entrées chez les dames de la meilleure société... Que voulez-vous, plus elles sont riches, plus elles ont besoin d'argent! Et j'achète toujours comptant.

Julie surmonta ses derniers scrupules.

— J'ai besoin d'argent, moi aussi, madame Colpin, murmura-t-elle.

La Colpin agita sa tasse de café pour faire fondre le sucre qui s'était déposé au fond.

— Tiens, tiens, fit-elle, mademoiselle Crèvecœur a besoin d'argent! Et qu'avez-vous à vendre, ma colombe?

— Je désirerais emprunter une certaine somme, dit Julie posément.

La revendeuse sirota le sucre fondu, fit entendre un petit claquement de la langue contre le palais et contempla la jeune fille en fermant les yeux à moitié.

— Et quelles garanties offririez-vous à un éventuel prêteur?

Comme Julie hésitait à répondre, la vieille chouette crut l'avoir prise au dépourvu et s'empressa de la rassurer.

— Je vous pose cette question parce que vous êtes mineure et que le billet que vous signeriez à votre prêteur n'aurait qu'une valeur... heu... sentimentale.

Elle se pencha vers la jeune fille, coula un regard quasi professionnel dans l'échancrure de son déshabillé, ce qui fit reculer Julie.

— Remarquez, poursuivit la Colpin, belle comme vous l'êtes, je connais des messieurs qui vous avanceraient n'importe quelle somme, les yeux fermés...

Un petit temps. Puis :

— ... mais les bras ouverts!

Julie n'hésita plus cette fois.

— Je crains que vous ne m'ayez pas comprise, madame Colpin, dit-elle, un peu agacée. J'offre comme garantie un bijou.

Le visage de la revendeuse se ferma.

— Les bijoux de famille, mon ange, c'est souvent du toc.

Julie ne répondit rien. Elle plongea dans la poche de son vêtement et en sortit la croix de Malte qui brillait de tout l'éclat de ses diamants et de ses émeraudes. La Colpin avança une main griffue, se saisit de la croix. Julie ne savait pas d'où elle avait sorti une petite loupe. Elle y colla son œil qui, grossi démesurément, parut monstrueux à la jeune fille. Ayant longuement examiné les pierres, la Colpin releva la tête.

— Pas mal, dit-elle. Pas mal du tout. Combien vous voulez emprunter là-dessus?

— Vingt mille francs.

La Colpin émit un sifflement dont Julie ne parvint pas à interpréter le sens exact. Antoinette reparut en haut de l'escalier de l'office, les joues roses.

— Ce Clovis, quel farceur... Mademoiselle devrait lui rabattre un peu son caquet.

La revendeuse pointa sa canne sur le tablier amidonné de la femme de chambre.

— Antoinette, mon cœur, sers-moi encore une goutte de ton café pour me permettre d'affronter les chemins sinueux d'Auteuil et la fumée malodorante du chemin de fer de ceinture.

Julie avait repris le bijou, mais Antoinette, qui avait l'œil partout, n'avait rien perdu du manège de sa maîtresse.

— Tant pis, mademoiselle Crèvecœur, dit la Colpin. Pas la peine de vous montrer cette pèlerine brodée de chinchilla qu'une de mes clientes, qui touche de très près l'Impératrice, m'a chargée de vendre à un prix défiant toute vraisemblance... Une pèlerine portée une fois ou deux seulement, par temps frileux, aux chasses de Compiègne...

— Je n'ai pas besoin de pèlerine, madame Colpin.

Antoinette s'était rendue aux cuisines. Mme Colpin sortit de son réticule brodé un crayon à pompons et un carnet couvert de soie mordorée. Elle arracha une page, y inscrivit quelque chose, tendit le papier à Julie.

— Rendez-vous à cette adresse demain en fin de matinée. C'est une de mes bonnes clientes. Son nom importe peu, mais elle a de gros moyens. Elle fait volontiers des... des opérations financières. Je lui parlerai de vous cet après-midi, sans révéler votre identité, bien sûr.

— Une prêteuse sur gages? souffla Julie.

La vieille protesta.

— Surtout pas, ma toute belle. Une jeune femme du monde, comme vous, et qui s'intéresse à l'argent comme d'autres à la musique ou à la peinture.

Antoinette revint avec la cafetière fumante.

— Tu devrais aider Mme Colpin à remballer ses marchandises, dit Julie déjà engagée sur les premières marches de l'escalier... et, ensuite, tu viendras m'habiller.

— Bien, mademoiselle, répliqua la femme de chambre.

« Qu'est-ce que je ne suis pas obligée de faire pour

retrouver mon bien-aimé! se dit Julie. Après tout, je viens peut-être de faire une sottise. La Colpin ne manquera pas de se répandre dans Paris, racontant partout que la petite Julie Crèvecœur a besoin d'argent! » Mais elle chassa cette idée de son esprit : « Tant pis. Advienne que pourra! »

3

En se rendant rue Marbeuf à l'heure dite, le jour suivant, Julie se sentit incapable de vaincre l'angoisse qui l'étreignait au point de la rendre, ce jour-là, timide et craintive, elle qui d'habitude n'avait peur de rien. Elle était trop raisonnable pour ne pas se rendre compte de l'extravagance de son projet et des risques qu'elle ne cessait de courir depuis le moment où elle avait pris la décision de se rendre au Mexique. Jamais elle ne s'était sentie aussi seule.

Comme toujours, à ces moments-là, elle était d'une grande lucidité et se disait qu'avoir un amant à dix-huit ans n'était en aucun cas chose courante. Son Alain, certes, était le plus merveilleux des hommes. Mais Julie ne put s'empêcher de penser qu'il était, hélas, incapable de cette affection chaude et simple qu'elle aurait tant voulu trouver auprès d'un être aimé. Peut-être la passion tenait-elle lieu de tout? Julie ne put l'admettre. Elle pensait que tous ceux qui avaient la chance de posséder une famille connaissaient ce sentiment dont elle avait été frustrée.

« Je suis vraiment seule, se disait-elle, seule au monde et personne ne m'aime comme j'aurais voulu être aimée : avec tendresse. »

A l'adresse indiquée par la Colpin, elle trouva un petit hôtel particulier flambant neuf. Il était midi. Julie dut attendre quelque temps avant qu'une chambrière, pomponnée comme une soubrette d'opérette, ne vînt entrouvrir la porte.

— Vous désirez?

Julie était embarrassée. Elle ignorait jusqu'au nom de la dame richissime qui devait, selon la Colpin, être en mesure de prêter une somme importante sur le bijou que Julie avait enfoui au fond de sa bourse.

— Je viens de la part de Mme Colpin, murmura Julie.

— Entrez, dit la domestique. Je vais voir si Mademoiselle est réveillée...

Elle conduisit la jeune fille dans un boudoir embaumé d'un parfum à la mode que Julie reconnut aussitôt : *Extrait du Jockey Club*. Julie prit place sur le divan demi-circulaire pendant que la soubrette, ayant frappé à la porte de ce qui était sans doute la chambre, y pénétra promptement en oubliant de la refermer complètement derrière elle. Ce qui permettait à Julie d'apercevoir des vêtements d'homme jetés sur un fauteuil et deux corps enlacés qui dormaient.

Julie eut l'impression très nette de ne point se trouver dans une maison bourgeoise. D'ailleurs, tout était trop neuf, trop recherché. Julie perçut des voix en sourdine. La chambrière reparut sur le pas de la porte.

— Mademoiselle n'est rentrée qu'à l'aube. Elle vous prie de patienter quelques instants.

Julie se demandait quel genre de « femme du monde » pouvait bien habiter cet hôtel somptueux... La Colpin n'avait apparemment pas pour habitude de séparer le monde du demi-monde de manière absolue. Julie eut l'impression très nette d'avoir fait une bêtise. Sans doute avait-elle eu tort de s'adresser à la Colpin. De toute manière, il était trop tard pour revenir en arrière. Il fallait coûte que coûte trouver l'argent du voyage dans un délai rapproché et ne pas donner l'éveil à M. Gaspard. Peut-être celui-ci, alerté par la visite de sa pupille à la banque, était-il sur le point de prendre des mesures susceptibles de restreindre la liberté de Julie Crèvecœur? A cette seule pensée, Julie retrouva toute sa farouche détermination. Le destin l'avait mise à point nommé en présence de la Colpin. Et le destin l'avait conduite ce matin-là rue Marbœuf...

La porte de la chambre s'entrouvrit à nouveau.

Une chevelure rousse embroussaillée, un corps de déesse que le déshabillé en satin blanc dévoilait sans l'ombre de décence. Julie Crèvecœur s'était dressée, d'un bond.

— Blanche d'Antigny! s'écria-t-elle stupéfaite.

Elle était déjà près de la porte. Elle allait s'enfuir alors que la maîtresse en titre de M. Gaspard, revenue de sa première surprise, était gagnée par le fou rire.

— Cette Colpin est impayable! Voilà ce que c'est que d'être trop discrète sur l'identité de sa clientèle. Elle m'avait annoncé la visite d'une jeune fille du grand monde désireuse de conserver le plus strict incognito...

Julie se crut perdue. Ce soir même, son tuteur connaîtrait tous les détails de l'affaire qui avait conduit sa pupille dans cet hôtel de la rue Marbeuf dont elle n'aurait jamais dû connaître l'existence. Et puis, non, il y avait de fortes chances pour que le banquier ignorât tout des petites opérations financières auxquelles se livrait sa maîtresse. Julie respirait : Mlle d'Antigny devait être aussi ennuyée qu'elle de cette rencontre malencontreuse.

— Inutile d'avoir peur, dit Blanche qui semblait avoir deviné le cours des pensées de Julie. Je saurai me taire.

Elle avait dressé l'oreille, car un coup de sonnette venait de retentir, très loin, et on entendait le pas furtif de la soubrette dans les couloirs.

— Vous attendez des visiteurs? demanda Julie qui aurait voulu quitter cette maison au plus vite.

— Je n'attends personne. Et puis...

Blanche hésitait à poursuivre.

— Je voulais seulement vous dire, fit-elle, que... que si je pouvais vous aider, je ne demande pas mieux. Nous... nous pourrions faire semblant de... d'ignorer qui nous sommes.

Julie sentait derrière ces paroles une sorte de sympathie qui lui allait droit au cœur. La porte du boudoir s'ouvrit brusquement. La domestique de Blanche n'avait même pas pris la peine de frapper. Elle donnait tous les signes extérieurs du désarroi et de la confusion.

— Mademoiselle... oh, mademoiselle...

Elle était hors d'haleine.

— Qu'est-ce qui t'arrive? interrogea Blanche d'Antigny.

— C'est affreux...

— Qu'est-ce qui est affreux?

La soubrette roulait des yeux effarés.

— C'est Monsieur!

Blanche sursauta.

— M. Gaspard! A cette heure-ci?

Cette fois, Julie crut que son cœur allait s'arrêter de battre. C'était à la fois tragique et comique. Un enchaînement de circonstances, une fatalité. Le regard de Blanche d'Antigny suivait celui de sa femme de chambre : toutes deux avaient l'œil fixé sur la porte de la chambre. Julie perçut distinctement de l'autre côté une respiration régulière. Elle se rappela ce qu'elle avait entrevu précédemment. On semblait avoir oublié sa présence.

— J'ai dit à Monsieur que Mademoiselle reposait encore...

— Tu n'aurais pas pu lui dire que j'étais au Bois?

Prise en faute, la pauvre fille baissa la tête.

76

— J'ai conseillé à Monsieur de repasser dans une heure. Mais il n'a rien voulu savoir. Monsieur n'avait pas l'air content. Il m'a dit d'aller réveiller Mademoiselle.

Julie passa la porte.

— Où allez-vous, mademoiselle Crévecœur?

— Il n'y a pas un escalier de service? interrogea Julie qui se crut égarée dans un de ces vaudevilles qui fleurissaient dans les théâtres du Boulevard.

Blanche lui saisit le bras.

— En vous engageant dans ce couloir, vous risquez de vous trouver nez à nez avec votre tuteur. Je suppose que cela ne vous plairait guère.

On entendait des pas.

— C'est lui! C'est Monsieur!

La chambrière ne savait plus à quel saint se vouer.

— Dis-lui que je suis souffrante... dis-lui n'importe quoi... mais fais-le patienter.

Mlle d'Antigny s'engouffrait dans sa chambre à coucher. La petite soubrette se précipita dans le couloir. Julie Crèvecœur resta seule à nouveau. La porte pouvait s'ouvrir à tout instant sur M. Gaspard. Que lui dirait-elle? Comment justifier sa présence dans cette maison?

On entendait la voix de M. Gaspard dans le couloir :

— Ne soyez pas stupide, ma fille! Si Mademoiselle est souffrante, il faut prévenir le médecin.

Julie n'avait pas le choix : ou bien se trouver face à face avec son tuteur d'une seconde à l'autre, ou bien... une seule échappatoire : la porte conduisant dans la chambre à coucher! Elle baissa la poignée. Dieu merci, Blanche d'Antigny n'avait pas verrouillé le loquet.

La chambre était plongée dans l'obscurité. Il y flottait une odeur animale. Julie heurta un meuble, mais ne sentit même pas la douleur. On entendait, à côté, la voix de M. Gaspard impatiente, et celle, haut perchée, de la chambrière.

— Si vous ne voulez pas réveiller votre maîtresse, je vais le faire à votre place!

M. Gaspard venait de pénétrer dans le boudoir.

Julie se sentait prise de panique. Il suffisait que son tuteur eût l'idée, peu galante, il faut bien l'avouer, de mettre son projet à exécution pour que la jeune fille se trouvât dans la plus extravagante des situations : dans la chambre à coucher de la maîtresse de son tuteur, en compagnie d'un inconnu! Un peu égarée par des lectures diverses, Julie imagina, en un éclair, que Blanche d'Antigny allait disparaître dans quelque alcôve voisine, abandonnant la pupille de M. Gaspard avec cet inconnu qui dormait sans doute au fond d'un lit où il n'aurait jamais dû se trouver. Car après tout, se disait Julie, il n'était pas de très bon goût que Blanche trompât son amant dans une maison où il venait tout juste de l'installer! Julie en était là de ses réflexions lorsque, dans le noir, une main ferme la poussa vers le cabinet de toilette attenant à la chambre. Blanche d'Antigny n'avait pas perdu son sang-froid. Elle désigna à Julie la penderie qui occupait tout un mur du cabinet :

— C'est immense, murmura-t-elle. Cachez-vous là-dedans. Je vous en ferai sortir lorsqu'il sera parti.

Blanche retourna dans la chambre en refermant soigneusement la porte derrière elle. Julie resta, indécise, devant la penderie. Elle entendait très distinctement la voix de Blanche, imitant à la perfection l'enrouement d'une beauté arrachée au sommeil.

— Qu'est-ce que c'est?

Et la voix de M. Gaspard, radoucie :

— C'est moi, ma chère. Il paraît que vous êtes souffrante. Puis-je entrer?

Julie pressentit le drame : son tuteur découvrant un rival dans le lit de sa maîtresse! Il fallait qu'elle se décide. M. Gaspard allait faire un esclandre et le cabinet de toilette, hormis la penderie, n'offrait plus la moindre sécurité. Elle regarda autour d'elle. C'était aussi luxueux que tout le reste, avec une coiffeuse décorée d'encadrements dorés et surmontée d'une psyché. Perchée sur un socle, une superbe baignoire en métal, qu'en d'autres circonstances Julie aurait peut-être admirée comme un objet fort rare et que l'on trouvait de préférence, à ce qu'on lui avait dit, chez les cocottes. Mais Julie était transie d'effroi.

De l'autre côté de la porte, les voix étaient toutes proches.

— Comme je suis heureuse de vous voir, mon ami, disait Blanche, étouffant un bâillement simulé avec art.

— Si vous appeliez votre Louise pour qu'elle tire les rideaux? suggérait M. Gaspard sur un ton où perçait l'impatience.

Blanche, et pour cause, poussa un cri d'effroi.

— Non, mon ami, surtout pas. La lumière me tue... Passez-moi mon déshabillé, voulez-vous?

Julie se rendit compte que la porte du cabinet pouvait s'ouvrir à tout instant. Elle revint à la penderie, hésita encore, puis fit glisser l'une des parois. Julie resta un instant indécise devant la garde-robe ouverte d'où s'échappait une bouffée du parfum préféré de Blanche : *Extrait du Jockey Club*.

— Fermez la penderie, pour l'amour du ciel!

La voix qui venait de se faire entendre était assez mâle, quoique étouffée par l'amoncellement de jupons empesés et de crinolines exagérément gonflées par leurs cerceaux. Julie était glacée de peur. L'aventure tournait au cauchemar. C'était comme une sorte de conspiration : il y avait déjà quelqu'un de caché dans cette penderie et Julie était obligée de s'y enfermer à son tour si elle ne voulait pas être surprise par son tuteur. N'écoutant que son courage, elle écarta les cintres. Elle découvrit alors tout au fond, mi-allongé, mi-recroquevillé, un jeune homme entièrement nu, la peau mate, le regard de braise et à peine gêné d'être découvert dans cette situation où il réussissait ce tour de force de ne pas paraître ridicule.

Julie, stupéfaite, reconnut le protégé du baron de Tourmalec, ce Patrice Kergoat, qui, au théâtre des Variétés, avait fait si bonne impression à M. Rémy Gaspard! Si le banquier avait pu deviner ce soir-là ce que le jeune Kergoat entendait par « vivre à pleins poumons »...

La voix de Blanche, dans la chambre, ramena Julie aux réalités de la minute présente.

— Je fais un brin de toilette et je suis à vous, mon ami.

Il n'y avait pas un instant à perdre. Le juvénile amant de Mlle d'Antigny n'hésita pas : il saisit Julie Crèvecœur par le bas de sa jupe et il l'attira dans le placard dont il fit glisser la porte coulissante, qui se referma sur eux comme une trappe. Julie chuta littéralement contre la poitrine du garçon qui la tint serrée très fort, comme s'il voulait l'empêcher à tout prix de manifester sa présence, ne pouvant deviner qu'elle avait autant de raisons que lui de se tenir tranquille dans leur cachette commune. Julie réalisa que Kergoat avait dû être enfermé là un peu plus tôt par les soins de Mlle d'Antigny. En attendant, le jeune homme goûtait pleinement le sel de la minute présente.

— Mademoiselle Crèvecœur, murmurait-il. Julie Crèvecœur... Dire que, depuis cette soirée aux Variétés, je n'ai cessé de penser à vous!

Il la tenait solidement et Julie essayait vainement de se dégager.

— Monsieur, souffla-t-elle, votre présence ici ne m'étonne qu'à moitié. Il m'avait suffi de vous observer ce soir-là pour être édifiée sur votre compte.

Elle ne put s'empêcher, cependant, de ressentir un certain trouble et elle essaya d'y résister de toutes ses forces. Après tout, Patrice Kergoat lui avait déplu au premier regard et elle ne s'en était pas cachée. Mais il avait pour lui sa jeunesse, sa fougue, des yeux de chat qui brillaient dans l'obscurité et une souplesse féline à laquelle Julie Crèvecœur n'était pas insensible.

— Ainsi donc vous m'avez observé, chuchota Patrice. Ceci est la preuve que j'ai su attirer votre attention. Par conséquent, je bénis les circonstances qui nous réunissent à nouveau.

Julie était suffoquée.

— Vous êtes fou ou inconscient, murmura-t-elle.

— Les deux, mademoiselle, les deux!

Il se tut, car il y avait du remue-ménage dans le cabinet de toilette. Blanche d'Antigny allait et venait le plus naturellement du monde tout en devisant avec Rémy Gaspard.

— Vous n'avez guère l'habitude de venir à pareille heure...

Julie admirait la manière dont cette remarque avait été faite. Il y avait juste ce qu'il fallait d'étonnement.

Le banquier haussa le ton, car Blanche était en train de verser de l'eau dans la cuvette du lavabo.

— Il y a un mois, vous m'aviez demandé de faire pour vous quelques opérations en bourse.

— C'est vrai. Je n'y pensais plus, faisait Blanche dans un tintement de porcelaine et un jaillissement d'eau.

Dans la penderie, les deux jeunes gens s'étaient arrêtés de respirer. Dire que Julie était prisonnière dans un placard en compagnie d'un jeune homme nu, alors qu'elle devrait être en train de monnayer la croix de Malte!

— Ma chère, disait le banquier, si vous ne vous astreignez pas à tenir une comptabilité de... de vos recettes et de vos dépenses, vous risquez de finir vos jours à l'hospice, telle la cigale du poète qui, ayant chanté tout l'été...

Il était évident, pensa Julie, que Mlle d'Antigny avait d'ores et déjà fait fortune.

— Moi, l'argent, ça va, ça vient, je m'en moque éperdument, remarquait la célèbre demi-mondaine avec une parfaite mauvaise foi.

Ayant fini ses ablutions, elle retourna dans la chambre.

— Décidément, Blanche a du génie, reprit Patrice.

Il avait relâché son étreinte et Julie Crèvecœur put respirer. Il faisait très chaud et l'*Extrait du Jockey Club*, mêlé à certaine odeur animale spécifiquement masculine, était lancinant.

— Je l'admire du fond du cœur, ajoutait Patrice. C'est fou ce qu'elle a pu m'apprendre en si peu de temps... Nous ne nous connaissons que depuis quelques mois et pourtant je ne suis déjà plus le même homme. Le Kergoat d'aujourd'hui, mademoiselle Crèvecœur, n'a plus aucun rapport avec celui du théâtre des Variétés!

Il trouvait moyen de plastronner, malgré les circonstances.

— Le Kergoat du théâtre des Variétés était déjà très peu sympathique, dit Julie. Celui que je retrouve sortant du lit de Mlle d'Antigny me semble carrément odieux!

Patrice allait répondre, mais Blanche d'Antigny revint une fois encore dans son cabinet. Les prisonniers de la penderie se turent, anxieux, car ils se rendaient compte l'un et l'autre combien leur situation était précaire. Julie trouvait Blanche diaboliquement habile. Même si le banquier avait des soupçons quant à la fidélité de sa maîtresse, il ne supposerait pas que celle-ci avait caché son amant dans un lieu où elle l'invitait presque à pénétrer, afin qu'il se

82

rende compte que tout y était parfaitement normal.

— J'aime tout en vous, mon ami, disait Blanche devant sa coiffeuse, sauf cette manie que vous avez de vouloir me faire la morale à propos de tout et de rien. Dites-moi seulement si ça descend ou si ça monte...

— Quoi donc? faisait le banquier ahuri.

— Mes valeurs, pardi.

— Je vous avais pris des « Lyon-Méditerranée » et des « Saragosse ». Je les ai réalisés ce matin avec un joli bénéfice. Je venais vous apporter cette bonne nouvelle, ainsi qu'une lettre de crédit que je vous pose là, sur votre table de nuit... Etes-vous contente?

Blanche fit entendre un rire de gorge.

— Je serais plus contente encore si vous me l'apportiez jusqu'ici, cette lettre de crédit, et que je puisse vous récompenser sur-le-champ par un baiser.

Julie n'en crut pas ses oreilles. Mlle d'Antigny jouait avec le feu. Mais en artiste. Julie aurait voulu connaître les pensées de son compagnon, mais Patrice Kergoat semblait bien plus préoccupé par la longue chevelure de Julie avec laquelle il jouait distraitement, sans que la jeune fille pût se soustraire à cette scandaleuse promiscuité. Et le moindre mouvement pouvait donner l'éveil au banquier. Celui-ci venait de répondre à l'invitation de sa belle amie. On entendait des chuintements de soie froissée. Julie aurait voulu se trouver à mille lieues.

— Venez, mon ami, dit Blanche d'une voix douce, et elle entraîna son amant dans la chambre.

— Ouf! faisait Patrice Kergoat.

— Vous ne semblez guère jaloux, monsieur, dit Julie Crèvecœur profitant du répit pour s'écarter du jeune homme qui en prit son parti.

— J'avais toujours rêvé de serrer dans mes bras une femme comme Blanche, murmura-t-il. Et je n'aurais jamais supposé qu'il était si facile de conquérir une lionne du Boulevard... Je m'étais donné six mois. L'affaire a été enlevée en quatre jours!

Julie était profondément choquée.

— Vous avez une façon révoltante de parler de l'amour, dit-elle.

Patrice fit entendre un tout petit rire.

— Je ne parlais pas de l'amour, mademoiselle Crèvecœur. Je parlais du plaisir.

Julie préféra se taire. Décidément, ce garçon était le cynisme fait homme.

— Le plaisir, poursuivit Patrice dans l'obscurité, le plaisir est innombrable, alors que l'amour est unique! On le cherche toujours, mais on le trouve rarement. Le plaisir, mademoiselle Crèvecœur, c'est un masque derrière lequel se cache le vide des cœurs...

Julie se demanda si elle n'avait pas jugé trop hâtivement celui qui venait de prononcer ces paroles. Patrice allait dire quelque chose, mais elle l'empêcha de parler :

— Taisez-vous pour l'amour du ciel!

De l'autre côté, il y eut une certaine agitation. Blanche revenait dans le cabinet pour réparer, sans doute, les dégâts causés à sa toilette et à sa coiffure par une rapide escarmouche amoureuse.

— Par votre faute, mon ami, j'ai perdu une de mes boucles d'oreilles! s'exclama-t-elle.

Julie crut devenir folle : Mlle d'Antigny n'allait tout de même pas pousser M. Gaspard à entreprendre une recherche qui ne pouvait qu'augmenter la durée du supplice des prisonniers de la penderie. Elle eut l'impression très nette que Patrice Kergoat avait envie de rire.

— La voici! s'écriait le banquier triomphant.

Sans doute avait-il retrouvé la boucle d'oreille.

— Venez me l'attacher vous-même, dit Blanche, coquette jusqu'au bout des ongles.

Le supplice ne finirait donc jamais.

De nouveau, M. Gaspard était à deux pas de la penderie, près de Blanche. Celle-ci poussa un petit cri.

— Faites attention, voyons!

— Pardon, dit le banquier. (Et il ajouta :) Vous n'avez même pas décacheté la lettre de crédit...

— Vous ne m'en avez guère laissé le temps, minauda Blanche. De toute façon, je préfère les lettres d'amour aux lettres de crédit.

Julie imaginait le mouvement d'impatience de son tuteur qui avait horreur de ce genre de réflexion.

— Vous parlez toujours du peu d'importance que vous attachez à l'argent, ma chère Blanche. Mais si je raisonnais comme vous, j'aurais été incapable de vous faire construire un hôtel particulier rue Marbeuf, de vous habiller chez Worth, de vous acheter une voiture, deux chevaux, un cocher anglais, femme de chambre, cuisinière...

Julie rageait : et dire que son tuteur avait failli la traiter de folle parce qu'elle lui avait demandé vingt mille francs, dont il n'était que le dépositaire.

Blanche interrompait son amant.

— Je vous en supplie, Rémy! Cette énumération est d'un goût discutable. On dirait un fournisseur présentant sa facture.

— Si, un jour, l'idée me venait de vous présenter la facture, vous seriez ma débitrice à vie. Sur le plan moral, j'entends bien. N'oubliez pas d'où je vous ai tirée...

Julie était affreusement gênée. Que n'aurait-elle pas donné pour se trouver ailleurs? Mais elle sentait que Patrice Kergoat suivait cette fois avec le plus vif intérêt une scène qui n'était pourtant pas destinée à être entendue par des témoins. Julie pensa que le jeune homme était en train de pénétrer dans un monde qu'il devait trouver fascinant. Elle eut pour lui comme de la pitié. Julie imagina une sorte de fraternité entre Patrice venu de sa province avec l'idée bien arrêtée de faire carrière à Paris et Blanche d'Antigny, à peine plus âgée que lui, surgie d'on ne sait quel néant et dont la réussite éclatante devait l'éblouir. Et la jeune fille pensa avec une infinie tendresse à son amour à elle et à la pureté de la passion qu'elle éprouvait à l'égard d'Alain.

— J'ai plus de mémoire que vous ne croyez, s'écriait Blanche, puisque j'ai joué dans une comédie de M. Sardou au Vaudeville l'an passé et qu'il y avait soixante lignes à apprendre par cœur!

— Il est vrai que le directeur du Vaudeville n'avait rien à me refuser, disait sèchement le banquier.

Blanche devait être en train de se recoiffer.

— Paris est rempli de gens qui n'ont rien à vous refuser.

— Vous devriez vous en souvenir un peu plus que vous ne le faites, Blanche.

— Ce qui signifie...?

— Ce qui signifie que vous affichez une indépendance qui n'existe pas puisque vous dépendez de mon bon plaisir.

Julie connaissait son tuteur. Il n'aimait pas se mettre en colère. Il y avait de fortes chances pour qu'il brisât là l'entretien.

— J'ai horreur d'être désagréable avec les femmes. Je préfère me retirer. Soyez prête ce soir, à 6 heures. J'ai l'intention de vous emmener dîner au Café Anglais. J'espère que d'ici là votre migraine se sera dissipée.

Julie écouta le pas de M. Gaspard qui s'éloignait. Elle entendit une porte claquer, puis une autre.

Il était parti.

Peu après, la paroi de la penderie glissa sans bruit.

— Vous pouvez sortir de là, tous les deux, dit la célèbre cocotte sans émotion apparente.

— Je suis tout nu, ma chérie, remarqua Patrice Kergoat.

Blanche éclata de rire. Un rire joyeux.

— Il n'est pas merveilleux, mon Patrice?

Julie Crèvecœur était loin d'être bégueule. Mais le comportement de ce couple lui parut plus qu'indécent. Ce qui les sauvait tous les deux, c'était leur parfait naturel dans une situation aussi scabreuse. Julie ne savait plus que penser.

— Merveilleux n'est pas le mot exact, dit-elle.

— Divin! Je suis divin, renchérit Patrice, couvrant sa nudité avec les moyens du bord, en l'occurrence une redingote en fourrure qui le faisait ressembler à quelque boyard sortant de son bain de vapeur.

— J'espère vous revoir dans d'autres circonstances et dans une autre tenue, ajouta-t-il à l'adresse de Julie. A moins que... — Il s'arrêta.

— Finis ta phrase, mon chéri, dit doucement Blanche.

— A moins, poursuivit Patrice, que vous me préfériez à l'état naturel, dépouillé des artifices de la civilisation.

Julie haussa les épaules.

— Vous avez tort de faire de l'esprit. Si M. Gaspard vous avait découvert, Dieu sait ce qui serait arrivé!...

— Il m'aurait souffleté, dit Patrice avec sérieux, nous nous serions battus en duel, je l'aurais tué et vous n'auriez plus eu de tuteur. Alors, pour racheter ma faute, je vous aurais épousée!

Julie avait une envie irrésistible de le gifler. Mais elle se retenait, car Patrice Kergoat pouvait être dangereux. Elle en eut l'impression très nette. Mais elle savait qu'un mot d'elle suffirait pour qu'il fût à sa dévotion. Ce mot, elle se jura bien de ne jamais le prononcer.

— Habille-toi, dit Blanche assez sèchement à son jeune amant.

— Je ne retrouve plus rien, maugréa Patrice.

— Alors, attends-moi là, décida Blanche. J'ai à parler avec Mlle Crèvecœur.

Elle entraîna Julie dans la chambre où Louise était en train de faire un peu d'ordre après avoir tiré les rideaux. La migraine de Blanche semblait s'être dissipée miraculeusement avec le départ de son protecteur. Elle s'installa à sa coiffeuse et posa la lettre de crédit bien en évidence, contre un flacon d'essence d'Amazilly.

— Vous êtes venue me voir pour parler affaires, dit la demi-mondaine, toujours avec la plus grande simplicité. Parlons affaires.

Julie n'en crut pas ses oreilles.

Blanche se tourna vers sa femme de chambre.

— Qu'est-ce que tu as fait des vêtements de M. Kergoat?

Louise rougit. Sous son tablier empesé, elle portait une triple rangée de jupons. Sous ses jupons, une longue culotte. Elle avait noué autour de sa taille la redingote noire de l'étudiant ainsi que le pantalon, recouvrant le tout par la masse imposante de ses dessous. Blanche éclata de rire.

— Apporte-lui ses affaires dans le cabinet de toilette.

— Bien, mademoiselle.

Julie ne doutait pas un instant que Blanche d'Antigny ne fût capable de lui avancer l'argent dont elle avait besoin. Mais comment lui confier la croix de Malte que M. Gaspard pouvait fort bien découvrir chez elle un jour ou l'autre? Et si le tuteur de Julie Crèvecœur commençait à poser des questions embarrassantes à sa maîtresse au sujet de la provenance de ce bijou unique en son genre?

— Regardez ceci, dit Blanche, désignant la lettre de crédit. Il y a là vingt mille francs que je viens de gagner en spéculant à la bourse grâce aux conseils éclairés de monsieur votre tuteur.

Julie avait les yeux fixés sur l'enveloppe. Elle avait la gorge sèche. Sa main se crispait sur son réticule où elle avait enfoui le bijou. Mlle d'Antigny l'observait, les sourcils froncés.

— La Colpin m'a dit que vous étiez en possession d'un gage de grande valeur.

Un léger temps, puis :

— Je n'en veux pas.

— Que voulez-vous dire par là? s'écria Julie.

— C'est très simple. Je serais très ennuyée si M. Gaspard apprenait que ma fidélité n'est pas à la hauteur de sa générosité. Depuis ce matin, vous possédez contre moi une arme redoutable...

— Mademoiselle d'Antigny! Vous n'allez pas croire que je sois capable de...

Blanche esquissa un geste d'apaisement.

— Les gens ignorent généralement de quoi ils sont capables, ma chère. En mal comme en bien. Il vaut mieux se garantir, croyez-moi. Je vous prête une certaine somme d'argent, vous me signez une reconnaissance de dette. Vous ne voulez pas que votre tuteur apprenne que vous m'avez emprunté cet argent et je ne veux pas qu'il sache que j'ai un amant nommé Patrice Kergoat. Je me tais et vous vous taisez.

Julie ne comprenait pas très bien.

— Le billet que je vous signerai n'aura aucune valeur. Je ne suis pas majeure. Qui vous dit que je puisse être en mesure de vous rembourser?

La jeune femme eut un sourire ambigu.

— Voyons, mademoiselle Crèvecœur... A votre majorité, cette signature que vous me donnerez vaudra des millions. J'estime que l'argent que je vous prête est de l'argent bien placé.

Elle décrocha du mur une gravure licencieuse du XVIIe. Derrière, il y avait un coffre qu'elle ouvrit à l'aide d'une petite clef. Elle prit dans le coffre une liasse de billets, puis, tournée vers Julie :

— Combien? demanda-t-elle.

A ce moment-là Julie Crèvecœur lui découvrit une sorte de ressemblance avec M. Gaspard. Etait-il possible qu'un amant banquier puisse déteindre sur ses maîtresses?

— Combien, mademoiselle Crèvecœur?

— Vingt mille francs, dit Julie, très vite. Il me faudrait vingt mille francs.

En sortant de l'hôtel de la rue Marbeuf, Julie Crèvecœur n'était plus la même. Elle avait l'impression que le ciel était plus bleu et elle trouvait qu'il y avait un je-ne-sais-quoi, dans l'air de Paris, qui donnait envie de respirer profondément. Julie avait retrouvé l'espoir. Elle serrait dans sa bourse les billets de banque soigneusement pliés. Elle possédait toujours la précieuse croix de Malte, seul héritage d'Alain Delatouche. Là où elle le retrouverait, dans un cachot sordide ou mourant de faim dans quelque pueblo perdu d'une province mexicaine, elle lui apporterait non seulement son amour, immense, mais aussi cette croix précieuse dont il resterait le seul dépositaire. Julie ne regrettait plus l'humiliation qu'elle avait subie chez Blanche d'Antigny au cours de cette matinée vaudevillesque. Après tout, elle apprenait la vie par tous ses bouts. En se dirigeant vers les Champs-Elysées, elle était reconnaissante à la passion qui lui apportait, avec la souffrance, la sensation qu'une vie sans amour ne valait pas la peine d'être vécue.

Elle s'arrêta brusquement.

Elle avait reconnu, arrêtée au bord du trottoir, la berline de son tuteur et, sur le siège du cocher, la silhouette tassée de Félicien. M. Gaspard n'était donc pas vraiment parti? Que faisait là sa voiture, à quelques dizaines de mètres de l'hôtel particulier de sa maîtresse? Plutôt que de risquer une rencontre fâcheuse, Julie prit une petite rue à sa droite...

Elle avait un but bien précis : la place Vendôme.

C'est là que se trouvaient les bureaux d'une compagnie de navigation, la Société des Affréteurs, qui se vantait de transporter ses voyageurs dans des conditions de rapidité, de sécurité et de confort jamais égalées jusqu'à ce jour. Derrière des comptoirs en bois des îles, des employés qui ressemblaient à des globe-trotters déroulaient devant le voyageur ébloui des plans, des prospectus, des dépliants de toutes sortes, apôtres enthousiastes d'une religion nouvelle : la réclame. C'est en parcourant *La Presse*, que son tuteur lisait assidûment tout en la taxant de « vulgaire », que Julie avait découvert le panneau publicitaire de la compagnie annonçant que celle-ci avait acheminé vers le Mexique des unités entières de « notre vaillant corps expéditionnaire ».

Le jeune homme auquel s'adressa Julie avait le teint basané de ceux qui préfèrent les rivages du Pacifique aux joies sages des bords de Marne. La jeune fille se demanda comment on pouvait à la fois courir les mers et se tenir derrière un comptoir, place Vendôme.

— J'aurais besoin d'un renseignement, dit timidement Julie qui n'avait jamais encore parcouru de distance supérieure à celle qui sépare Paris de Biarritz.

— Je suis à vous, mademoiselle, entièrement à vous. Le temps d'en terminer avec ce monsieur.

Le monsieur en question rappela à Julie ces personnages à cigares et chaînes en or leur barrant l'estomac, qui siégeaient aux conseils de la banque de Gaspard.

— Je ne sais vraiment pas ce que vous pouvez reprocher au *Floride*, monsieur. C'est un des plus beaux paquebots de notre compagnie.

L'homme lissait sa moustache. Julie sentit sur elle le regard en coin du viveur. Il devait se poser des questions à son sujet. Elle le soupçonnait de faire exprès de prolonger sa discussion avec l'employé de la compagnie.

— Je suis parfaitement d'accord quant au confort. Mais le *Floride*, m'a-t-on dit, est propulsé par des hélices!

— C'est exact, répliqua l'employé. Le *Floride* est sorti des chantiers de Glasgow en même temps que le *China* qui triomphe depuis un an sur la ligne de New York.

Julie était fort intéressée par tout ce qu'elle était en train d'apprendre sur les bateaux. Le passager en puissance du paquebot *Floride* la détaillait franchement à présent. Il avait même coincé dans son orbite gauche un monocle retenu par un ruban de soie. Julie le trouvait ridicule.

— Mon ami, plastronnait-il, j'en suis à ma sixième traversée et je n'ai eu qu'à me féliciter des navires à roues. Pourquoi voulez-vous me faire prendre à tout prix le *Floride* qui est propulsé par des hélices?

L'employé faisait preuve d'une patience exemplaire.

— Je me permettais de vous suggérer le *Floride*, monsieur, parce que, aux grandes vitesses comme aux moyennes, un navire à hélices est supérieur à un navire à roues de même puissance. De ce fait, un voyage que vous accomplissiez, il y a quelques mois encore, en treize jours et demi, vous le bouclez aujourd'hui en dix jours!

Julie, captivée, ne put s'empêcher d'intervenir.

— Dix jours pour aller de Brest à la Vera Cruz?

Les deux hommes éclatèrent de rire.

— Mais non, mademoiselle, hoqueta l'employé, dix jours pour aller de Brest à New York, évidemment!

— Evidemment, échota le client à monocle.

Et il ajouta :

— Elle est délicieuse, cette petite femme-là.

Julie trouva qu'il s'exprimait comme dans une opérette de MM. Meilhac et Halévy.

— Le commandant du *Floride* est décidé à battre le record de son concurrent américain lors de la prochaine traversée, dit le jeune homme de l'agence.

L'homme aux six traversées laissa choir son monocle.

— Une course de vitesse entre deux paquebots? Je veux en être à tout prix! s'écria-t-il.

Julie imaginait que l'employé devait pousser un soupir de soulagement. Il déroula un parchemin.

— Alors, choisissez votre cabine sur plan, monsieur.

Il tendit le plan à son client qui s'y plongea. Mais il ne put s'empêcher de lancer un mot d'esprit à l'intention de Julie.

— Si toutes les passagères devaient être aussi jolies que Mademoiselle, il serait regrettable que la traversée fût si brève!

Julie se détourna, agacée.

L'employé au teint olivâtre se pencha vers elle.

— Dans chaque voyageur pour l'Amérique sommeille un Christophe Colomb qui serait un peu Don Juan.

Julie lui trouva plus d'esprit qu'à son client.

— Je désire me rendre à la Vera Cruz, dit-elle posément.

Sur le visage de l'employé se lisait une intense stupéfaction.

— Au Mexique? Mademoiselle désire se rendre au Mexique?

— Evidemment, dit Julie, puisque je vais à la Vera Cruz.

Le jeune homme parut perplexe.

— Est-ce bien le moment? hasarda-t-il.

Julie tambourina des doigts sur le comptoir.

— Pour moi, oui. Qu'est-ce qu'il y a d'extraordinaire à cela?

— Les événements, mademoiselle. Les événements...

Son ton redevint professionnel, bon gré, mal gré.

— Combien de personnes?

Voilà une question à laquelle Julie ne s'attendait guère.

L'employé s'expliqua :

— Presque tous nos paquebots à destination du Mexique sont affectés à des transports de troupes. Nous prenons aussi des voyageurs civils, bien entendu, mais en nombre limité. C'est pour cela que je demandais à Mademoiselle si sa famille était nombreuse.

— Je voyage seule, monsieur, dit Julie.

— Seule? Vous voulez aller seule au Mexique?

— Oui, monsieur.

— Par les temps qui courent, c'est plus que de l'audace. C'est... c'est de la témérité.

Il revint au registre professionnel.

— Bien entendu, Mademoiselle est majeure?

Julie hésita le quart d'une seconde.

— Bien entendu, fit-elle.

— Parce que si Mademoiselle n'était pas majeure, dit l'employé, nous ne pourrions, hélas! l'admettre seule à bord.

Il saisit une feuille de papier, un porte-plume et regarda Julie.

— Peut-être avez-vous l'intention de retrouver là-bas un membre de votre famille?

Julie lui fut reconnaissante de cette suggestion si proche de la vérité.

— Oui, monsieur, répliqua-t-elle. Mon mari.

Le jeune homme se confondit en excuses.

— Oh, pardon, madame... Je... je ne pouvais deviner, n'est-ce pas?

Du regard, il chercha une alliance à l'annulaire gauche de cette très jeune femme. Julie se félicita de porter des gants de filoselle blanche, vestige de la stricte éducation des demoiselles Beaujon.

94

— Mon mari est officier au Douzième Chasseurs de France.

L'employé chercha une banalité à dire et la trouva :

— Madame fait extraordinairement jeune pour être déjà mariée à un officier de notre vaillant corps expéditionnaire.

C'est l'instant que choisit le voyageur au monocle pour reparaître, brandissant le plan du *Floride*.

— Mes plates excuses, mademoiselle, mais je voulais seulement dire à ce jeune homme que j'avais fixé mon choix sur une cabine située à l'entrepont supérieur arrière...

L'employé s'inclina devant Julie.

— Que Madame m'excuse un instant.

Puis, tourné vers l'habitué des traversées transatlantiques :

— Excellent choix, monsieur. Mon collègue va s'occuper de vous.

L'homme au monocle s'éloigna à regret après avoir salué Julie avec un rien d'ostentation.

— Quand désirez-vous partir, madame? questionna le jeune homme.

— Le plus rapidement possible.

L'employé consulta un gros registre.

— Le prochain navire au départ de Saint-Nazaire est l'*Age d'or*. Une très belle unité, madame. Fort luxueuse. Mais les quelques cabines réservées aux voyageurs civils sont toutes retenues de longue date. Naturellement, Madame voyage en première classe?

Julie haussa les épaules. Elle ne pouvait admettre qu'on traitât un voyage au Mexique comme une croisière. Les gens n'avaient aucun sens moral, pensat-elle. Pendant que les uns se battent, les autres font du commerce.

— Cela m'est complètement égal, dit-elle.

— Il est exclu que Madame voyage autrement

qu'en première classe, trancha l'homme de la compagnie.

— Peu m'importe, vous dis-je. Quelle est la date du départ de l'*Age d'or*?

— Le quinze de ce mois, madame.

— Et la durée de la traversée?

— Vingt-quatre à trente jours en comptant l'escale de Fort-de-France.

Julie le savait bien.

— C'est affreusement long, ne put-elle s'empêcher de dire.

L'employé fut piqué au vif.

— L'*Age d'or* est ce qui se fait de plus rapide sur cette ligne, psalmodia-t-il. Mais pour le moment, malgré le désir que j'ai d'être agréable à Madame, je ne vous vois pas encore partie. Voulez-vous me donner une adresse où je pourrai vous joindre à Paris? Nous pouvons avoir une défection, auquel cas...

Julie ne s'attendait pas à cette question.

— Je... je n'habite pas Paris. Je... je préfère repasser à vos bureaux.

Le jeune homme parut trouver cela tout naturel. Il était penché sur son registre.

— Le billet serait au nom de...?

— Au nom de... de Mme Delatouche.

L'employé écrivait.

— ... Prénom?

— Julie...

— Mme Julie Delatouche. C'est noté. Je vais vous demander de revenir me voir... disons... dans les trois jours. Si une vacance se produisait, nous ne pourrions vous garder votre billet indéfiniment. Madame vient régulièrement à Paris?

Julie ouvrit son réticule.

— Oui. Très régulièrement. Voulez-vous que je vous règle tout de suite le prix du billet?

Il protestait, les mains levées.

— Madame plaisante. La compagnie voit très bien à qui elle a affaire.

Julie estima que la compagnie avait la vue basse pour avoir admis si facilement ses vingt et un ans et sa qualité d'épouse d'officier. Au moment de quitter le comptoir, elle se heurta au passager du *Floride* qui souleva son chapeau haut-de-forme.

— Aurais-je le plaisir de vous revoir à bord du *Floride*, ma chère enfant?

Julie le foudroya du regard.

— Certainement pas, monsieur.

— Vous n'allez pas à New York?

— Non, monsieur. Je vais à Mexico!

— A...?

Julie n'était pas mécontente de son petit effet. Lorsqu'elle se trouva à nouveau sur le trottoir de la place Vendôme, elle risqua un regard à l'intérieur des bureaux qui s'ouvraient sur la place par de vastes baies vitrées. Elle aperçut alors son admirateur à monocle engagé dans une conversation animée avec l'employé au teint basané. Elle était persuadée d'être l'objet de ce colloque, et elle s'en divertit fort. Puis, subitement, au moment d'arrêter un fiacre, elle eut conscience de son extrême imprudence. N'était-elle pas folle de parler ainsi à n'importe qui de ce départ qui n'était rien d'autre qu'une fugue? Une fugue qui risquait de faire beaucoup de bruit dans ce Paris friand de cancans et de nouvelles à sensation... La pupille du banquier Gaspard s'est embarquée clandestinement à destination du Mexique!

« Julie, tu es complètement folle, ma fille », se dit-elle. Mais elle avait eu besoin de dire au premier venu qu'elle allait partir aux Amériques pour y retrouver celui qu'elle aimait...

Lorsqu'elle rentra à Auteuil, l'heure du déjeuner était passée depuis longtemps. Elle s'attendait à trou-

ver Antoinette dans tous ses états à cause du désespoir de la cuisinière. Il régnait, en effet, une certaine
effervescence à Auteuil, mais l'absence prolongée de
Julie n'y était pour rien.

— Mademoiselle Julie... Mademoiselle Julie, vous
ne savez pas ce qui nous arrive?

Une brusque inquiétude l'étreignit.

— Qu'est-ce qu'il y a, Antoinette?

— C'est Monsieur.

Quelque chose d'important devait être arrivé, car
Antoinette était excitée comme pour un soir de bal.
Julie était sur le qui-vive.

— Monsieur a reçu une lettre!

Une lettre? Quel genre de lettre pouvait bien colo-
rer ainsi les joues de la femme de chambre?

— Une lettre avec un cachet rouge et un timbre
bleu... Ça ne dit rien à Mademoiselle?

— Rien du tout, Antoinette.

— Il y avait marqué dessus : « Maison de l'Empereur, Service du Grand Chambellan »!

C'était donc ça : une invitation aux Tuileries. Julie
n'avait jamais compris pourquoi dans les cuisines, où
la vie était plutôt dure, on prenait un si vif intérêt à
tout ce qui se passait à la cour de l'Empereur.

— « Par ordre de l'Empereur, récita Antoinette, le
Grand Chambellan a l'honneur de prévenir M. Rémy
Gaspard qu'il est invité à passer six jours au palais
de Compiègne du 9 au 15 de ce mois. » Et c'était signé : « duc de Bassano ». C'est pas merveilleux, mademoiselle?

— Merveilleux, murmura Julie.

Elle était sincère. Cette invitation qui éloignait
M. Gaspard de Paris pour toute une semaine tombait
du ciel et favorisait singulièrement les projets de Julie, puisque la date du départ de l'*Age d'or* coïncidait
avec la fin du séjour de son tuteur aux chasses impé-
riales. C'était, pensa Julie, un signe du destin qui en-

98

courageait son projet. Il fallait à tout prix embarquer le 15, dût-elle voyager à l'entrepont ou dans les soutes. Une idée extravagante lui traversa l'esprit : s'il n'y avait aucune place de libre à bord de l'*Age d'or*, elle était prête à s'y introduire clandestinement.

— Je suis heureuse, Antoinette. Très heureuse.

Elle monta très vite dans sa chambre pour y mettre en lieu sûr la croix de Malte et les vingt mille francs. Elle décida de consacrer sa soirée à l'étude de l'espagnol, grâce à un vieux dictionnaire qu'elle avait découvert dans la bibliothèque de son tuteur. Mais elle ne put mettre à exécution ce projet, car M. Gaspard vint passer la soirée à Auteuil, ce qui lui arrivait de plus en plus rarement. Julie Crèvecœur dîna donc en face de son tuteur. Pour donner un petit air de fête à cette réunion, le valet de chambre avait allumé les bougies des torchères Louis XVI et Antoinette surveillait le service en se donnant de faux airs d'intendante!

Au grand soulagement de Julie, M. Gaspard évita de faire allusion à la discussion qui les opposa dans le bureau du banquier, rue Laffitte. Il était d'excellente humeur et Julie savait que l'invitation à Compiègne n'y était pas étrangère. Pourtant, le financier mit un point d'honneur à manifester un enthousiasme très relatif, décrivant le séjour au château de Compiègne plutôt comme une corvée, honorifique, certes, mais semée d'embûches.

— On y est généralement mal logé, maugréa-t-il, on se trouve constamment dans des courants d'air et, entre nous, ce n'est pas précisément une partie de plaisir.

Julie fit de son mieux pour manifester de l'intérêt.

— Pourtant, vous adorez la chasse.

— Comme si vous ne saviez pas, ma chère, que mon gibier à moi se nourrit de pierres précieuses et se parfume chez Farina.

— Tant pis, dit Julie, pour une fois le cerf remplacera la biche!

M. Gaspard eut un sourire amusé.

— Vous êtes très en forme ce soir, dit-il. J'aime vous voir ainsi. Le jour où je vous présenterai à la cour, vous y ferez des ravages. Mais ceci ne plaira guère, je le crains, à votre mari. Si d'ici là, vous en avez trouvé un qui vous convienne.

Immobile près de la crédence, Antoinette ne perdait pas une miette de la conversation. Julie l'observa à la dérobée. Elle se sentit bien plus proche de sa femme de chambre que de son tuteur.

Clovis servait les belons sur un lit de varech entouré de glace pilée. Avec des gestes de nourrice, ganté de blanc, il déposa les citrons et des tartines de pain bis beurré.

— La princesse Mathilde m'a raconté qu'à Compiègne on n'invitait que les plus jolies femmes de Paris. Je pense que cela n'est pas pour vous déplaire.

— D'accord, répliqua Gaspard. Mais elles sont toutes mariées. Et celles qui le sont mal, ou pas du tout, n'ont d'yeux que pour l'Empereur. Or, vous avouerez qu'un banquier à côté d'un empereur, c'est peu de chose.

— Ce n'est pas mon avis, dit Julie. D'ailleurs, il faut croire que l'Empereur pense comme moi, sinon vous inviterait-il à Compiègne?

Julie s'entendait discourir de la sorte et elle eut l'impression que c'était une autre qui parlait. Etait-il possible, après ce qu'elle avait entendu ce matin dans le cabinet de toilette de Blanche d'Antigny, qu'elle pût se trouver assise face à son tuteur sans éprouver une sorte de gêne? Après tout, elle avait pénétré dans l'intimité de cet homme qui représentait à ses yeux l'autorité paternelle. Elle l'avait entendu aller et venir dans ces murs qu'il avait fait édifier pour l'amour d'une jeune femme qui se moquait de lui, et de quelle

100

façon... Elle revit en pensée la silhouette mince et musclée de Patrice Kergoat, ce regard de feu qu'elle avait senti peser sur elle, même dans l'obscurité de la penderie. Et elle imagina en pensée Alain dans une situation analogue. Mais Alain ne se trouverait jamais tout nu dans le lit d'une demi-mondaine, parce qu'Alain aimait Julie Crèvecœur et que cet amour devait lui suffire jusqu'à la fin de ses jours. Julie se demanda subitement si la fille du gouverneur Rosalès était jolie... Peut-être avait-elle été tuée en même temps que son papa? Julie n'était pas une nature sanguinaire, mais elle le souhaita et elle s'en voulut.

— Julie!

La voix de son tuteur la ramenait à la réalité.

— Oui, monsieur?

— Je vous ai posé une question.

— Excusez-moi. J'avais l'esprit ailleurs.

— Je vous ai demandé si vous vous rappeliez ce petit jeune homme que le baron de Tourmalec nous a présenté, l'autre soir, aux Variétés...

Julie s'arrêta de respirer. Cet homme avait-il un pouvoir surnaturel? Ou était-ce elle, au contraire, qui, sans le savoir, avait provoqué cette étrange transmission de pensée? A moins que M. Gaspard n'eût attendu la fin du dîner pour lui poser Dieu sait quelle question affreusement embarrassante... Par exemple : que faisiez-vous ce matin rue Marbeuf où je vous ai vue sortir de l'hôtel particulier de Mlle d'Antigny?

Julie rassembla tout son courage pour faire front à un orage éventuel. Son tuteur, qui paraissait toujours d'excellente humeur, s'était levé pour passer au salon où Antoinette servait le café. Les murs de cette pièce aux vastes proportions étaient peints en camaïeu bleu de France avec des arabesques de même teinte, mais de ton plus foncé. Les rideaux des fenêtres étaient de nuance assortie, ainsi que les ornements des lambrequins, des chambranles et des dessus de porte.

M. Gaspard s'installa dans un fauteuil anglais qu'il affectionnait tout particulièrement et choisit un cigare.

— Tu diras à Clovis de préparer mes costumes de chasse, dit-il, s'adressant à Antoinette qui lui tendait un tison allumé.

— Bien, monsieur.

— Et tu t'occuperas de mes chemises plissées pour le soir.

— C'est déjà fait, monsieur, dit la femme de chambre.

Puis elle quitta la pièce. A regret, Julie en était persuadée.

— Oui, disait M. Gaspard, se calant dans son fauteuil, je vous parlais de ce petit jeune homme, mais vous aviez l'esprit ailleurs.

— Je vous prie de m'excuser, murmura Julie.

— Vous vous rappelez de ce que je vous avais dit à son sujet?

Julie était sur la défensive.

— Pas très bien.

— Je vous avais dit que je le trouvais intéressant.

— Maintenant, je m'en souviens, fit Julie.

M. Gaspard tirait sur son cigare.

— Je l'ai trouvé tellement intéressant, dit-il, que je l'ai pris avec moi, à la banque!

Ce fut comme un coup de tonnerre. Comment! Il y a quelques heures à peine, Patrice Kergoat se trouvait encore, nu comme un ver, dans la chambre à coucher de Mlle d'Antigny, et ce soir... Mais que s'était-il donc passé? Julie était tellement abasourdie que cela devait se lire sur son visage. En tous les cas, M. Gaspard semblait se divertir beaucoup de l'intense surprise qu'elle ne parvenait pas à cacher.

— Cela vous paraît donc tellement extraordinaire?

— Oui... je l'avoue, bredouilla Julie.

Elle était prise de terreur. Elle n'osait imaginer à la

suite de quelles circonstances Patrice Kergoat avait réussi à passer de la penderie de Blanche aux guichets de la banque Gaspard. Serait-il possible que ce jeune homme d'une envergure peu commune ait trouvé moyen de monnayer ce qu'il avait pu apprendre sur les raisons qui avaient amené Julie rue Marbeuf? A première vue, cela semblait incroyable. D'autant plus que Patrice lui-même s'y trouvait dans des conditions telles qu'il avait tout intérêt à ménager la discrétion de Julie Crèvecœur. De toute manière, il fallait en avoir le cœur net. Et ce, le plus rapidement possible.

— Je suis un peu surprise, dit-elle, parce que je ne savais pas qu'à priori ce jeune homme pouvait avoir des dons pour la finance. Après tout, le baron de Tourmalec nous avait dit qu'il poursuivait à Paris ses études de pharmacie.

— Une longue expérience m'a appris, rétorqua Gaspard, qu'un homme doué pour la vie est forcément doué pour les affaires. Car qui aime vivre, aime l'argent. Et qui aime l'argent a le désir de s'en procurer. A condition d'être pauvre, bien entendu. Mais je n'aurais jamais pris pour secrétaire un jeune homme riche.

Pour secrétaire? M. Gaspard avait donc pris Patrice Kergoat pour secrétaire? C'était ahurissant.

— Vous semblez tomber des nues, dit doucement M. Gaspard. Je vous avais expliqué pourtant que je me connaissais en hommes...

Pouvait-on être aussi aveugle? Julie se demanda si ce n'était pas Mlle d'Antigny qui avait manigancé tout cela. Non. C'était impossible : M. Gaspard avait quitté sa maîtresse de fort méchante humeur. D'ailleurs, ne devait-il pas l'emmener dîner ce soir au Café Anglais? S'il ne l'avait pas fait, cela prouvait qu'il était réellement contrarié. Et cette contrariété ne pouvait provenir que du fait qu'il la soupçonnait d'avoir un amant. Et cet amant était précisément l'homme qu'il venait d'engager comme secrétaire! Julie avait besoin de se retrouver seule pour faire de l'ordre dans ses pensées. Elle espérait que, son cigare fumé, M. Gaspard se lèverait pour aller se retirer dans la bibliothèque où il aimait s'isoler de temps à autre avec des dossiers qu'il apportait tout exprès de la banque pour les étudier au calme, à Auteuil. Mais ce soir, décidément, son tuteur faisait tout le contraire de ce qu'on attendait de lui. Julie avait la conviction que cet homme impénétrable s'amusait à jouer avec elle une comédie dont la portée lui échappait. Il réussissait ce tour de force de faire peur en paraissant aimable et enjoué. Julie le détesta vraiment ce soir-là.

— J'ai autorisé mon secrétaire à consulter certains dossiers que je garde à Auteuil, dit le banquier avec douceur. S'il devait se présenter ici pendant mon absence, je compte sur vous pour le recevoir avec... heu... avec un minimum de courtoisie.

C'était trop beau!

— Je le recevrai bien volontiers, s'empressa de répondre Julie.

Son tuteur leva un sourcil, surpris.

— Me serais-je trompé? dit-il. Lui trouveriez-vous quelque intérêt, vous aussi?

Julie se rendait compte qu'elle ne s'était pas assez surveillée. Tant pis. Elle mentit effrontément.

— Je le trouve assez joli garçon, dit-elle, en se forçant à sourire.

— A la bonne heure! s'écria le banquier. Voilà enfin une parole sensée. Si, à dix-huit ans, on ne s'intéresse pas aux jolis garçons, c'est à désespérer de tout.

Et, là-dessus, il se leva, saisit *Le Moniteur* et se dirigea vers la bibliothèque. A la porte, il se retourna.

— Allez dormir, ma chère. Vous paraissez fatiguée ce soir.

Cette journée fertile en émotions et en péripéties de toutes sortes avait épuisé Julie Crèvecœur.

— J'ai fait des courses à Paris, murmura-t-elle.

Elle ne savait pas si son tuteur l'avait entendue, car il venait de pénétrer dans la bibliothèque. Presque aussitôt Antoinette parut à la porte du salon.

— Mademoiselle va aller se coucher?

— Oui, Antoinette, mais je n'aurai pas besoin de toi ce soir.

La femme de chambre était déçue. Mais Julie se sentait incapable de soutenir une conversation qui tournerait autour des fastes de Compiègne, des déjeuners, des thés, des dîners, des bals, des promenades et des charades.

— Mademoiselle ne veut pas que je la coiffe pour la nuit?

— Pas ce soir, fit Julie en s'engageant dans l'escalier.

Antoinette rajusta son tablier.

— Si Mademoiselle est fatiguée, je resterai muette, dit-elle.

Julie se retourna.

— Je t'aime bien, Antoinette. Mais tu es debout depuis l'aube. Va te reposer, toi aussi.

4

Trois jours plus tard, dans la cour de l'hôtel Gaspard, à Auteuil, la berline du banquier, étincelante de tous ses cuivres, était arrêtée devant le perron où s'affairait le personnel au grand complet que dominait Félicien du haut de son siège de cocher.

— Il a mis sa livrée de cérémonie, ma parole, remarqua M. Gaspard surpris. Pour me conduire à la gare, cela ne s'imposait peut-être pas.

Antoinette intervint.

— Félicien dit qu'au départ du train spécial de Compiègne il y a toujours les plus beaux équipages de Paris et qu'il doit faire honneur à Monsieur dans une telle occasion.

Le banquier se tourna vers Julie qui se tenait immobile sur la dernière marche du perron.

— Adieu, ma chère. Portez-vous bien. A mon retour, il faudrait que nous ayons, vous et moi, une conversation sérieuse.

Julie se demandait si cette phrase, dite à la légère, ne renfermait pas une vague menace. Elle prouvait, en tous les cas, que son tuteur était à cent mille lieues de se douter que sa pupille préparait fiévreusement un projet tellement insensé qu'il l'aurait sans doute traité « d'enfantillage » s'il en avait eu vent. Julie se disait qu'elle le voyait peut-être pour la dernière fois. Elle n'en éprouva aucune émotion, tout juste une vague amertume. Il n'aurait tenu qu'à cet homme de créer entre sa pupille et lui un lien affectif qui leur aurait permis de se livrer l'un et l'autre. S'il s'était intéressé tant soit peu à Julie Crèvecœur, il aurait compris qu'elle était capable de tout sacrifier pour un grand amour. Il aurait pu envisager un mariage qu'il désapprouvait. Au lieu de quoi, il n'avait pas cessé de jouer de son autorité absolue pour amener sa pupille à contracter quelque union raisonnable dont il aurait été l'instigateur. N'avait-il donc jamais pensé que Julie était toute prête à lui abandonner, même au-delà de sa majorité, la gestion de sa fortune, pourvu qu'il la laissât vivre heureuse avec l'homme de son choix? Craignait-il tant Alain Delatouche pour n'en vouloir à aucun prix comme époux de sa pupille? Autant de questions qui allaient rester sans réponse, définitivement, car Julie avait l'intention de quitter Auteuil sans esprit de retour.

A l'heure où le train spécial amenait M. Gaspard et les autres invités de l'empereur Napoléon III au château de Compiègne, Julie Crèvecœur pénétra pour la seconde fois dans les bureaux de la Société des Affréteurs où l'employé au teint hâlé de voyageur des mers du Sud se tenait toujours derrière son comptoir, efficace et affable.

— Je suis déjà venue vous voir, il y a trois jours...

— J'ai immédiatement reconnu Mademoiselle... je veux dire : Madame. Quand on a vu Madame une fois, il est difficile d'oublier son visage par la suite...

Julie n'apprécia guère cette galanterie. Après tout, elle figurait sur les registres de la compagnie comme épouse d'un officier faisant partie du corps expéditionnaire français au Mexique. Elle trouva déplacé, de la part de ce jeune homme, de débiter de telles paroles à l'épouse anxieuse d'un héros.

— Toutes les cabines étaient retenues d'avance, dit-elle, le visage fermé mais vous m'aviez laissé espérer une éventuelle vacance.

Sa voix tremblait un peu. Elle fit une petite prière, intérieurement, pour que la réponse de l'employé fût affirmative. Elle reconnut le gros registre qu'il consulta gravement.

— Madame... Madame Delatouche, n'est-ce pas?

— Oui.

Un silence. Julie trouva l'attente insupportable. Finalement, le jeune homme leva la tête de son registre.

— Je suis désolé, madame Delatouche, mais aucun passage pour la Vera Cruz n'a été annulé jusqu'à ce jour.

Julie se décomposa. Il essaya de la rassurer.

— Une défaillance de dernière minute est toujours possible, dit-il d'un ton encourageant.

Julie était désespérée. Le destin avait tout mis en place pour lui permettre de réussir son projet. S'il lui fallait attendre le prochain bateau, dans un mois, elle se trouverait peut-être dans l'impossibilité de rejoindre Saint-Nazaire et d'embarquer, son tuteur ayant pris des dispositions pour l'en empêcher. Elle se rappela les paroles de M. Gaspard au moment de son départ, et de ce qu'elles contenaient de menaçant. L'employé se détourna de Julie pour saluer avec beaucoup de déférence un client qui s'approchait du comptoir.

— Mes respects, mon colonel.

Julie tourna la tête.

Elle reconnut l'immense stature du colonel Du Barail et, pendant une seconde, elle se sentit gagnée par la panique. Décidément, c'était la journée des incidents dramatiques. Il suffisait d'un rien pour que la supercherie ne fût mise à jour. Le colonel savait qu'elle s'appelait Crèvecœur et non pas Delatouche et, ce qui était le plus grave, il connaissait sans doute son âge par la princesse Mathilde. Une parole malheureuse et la compagnie refuserait de toute manière de délivrer un billet à Julie. Il fallait éloigner le colonel de ce comptoir, à tout prix! Et l'empêcher de parler!

— Cher colonel, s'exclama Julie, singeant de son mieux les belles dames que Mathilde Bonaparte invitait volontiers à Saint-Gratien. Cher colonel, comme je suis heureuse de vous revoir...

Le colonel, en civil, eut l'idée de lui baiser la main, ce qui ne pouvait qu'accréditer le personnage de la « jeune épouse d'un brillant officier ». Julie rendit grâce au ciel que le colonel, plus baroudeur qu'homme du monde, semblât avoir oublié qu'on ne baisait point la main des jeunes filles...

— Mes hommages, mad...

Julie lui coupa aussitôt la parole.

— L'autre dimanche, chez la princesse, vous avez dû vous sentir très mal à l'aise, avec tous ces gens qui ne cessaient de vous harceler, de vous poser des questions saugrenues.

— Ne croyez pas ça, mad...

— ...mais vous vous en êtes magnifiquement sorti. Si j'osais, colonel...

Du Barail était sous le charme.

— Osez, ma chère enfant.

— J'avais encore tant de choses à vous demander au sujet de... au sujet de ce qui me tient tant à cœur... Vous êtes en voiture?

— Une calèche du ministère m'attend sur la place.

— Alors, peut-être que vous pourriez me jeter en route? Cela nous permettrait de bavarder un peu.

Julie se disait à juste titre qu'il devait y avoir une grande différence entre un colonel en uniforme et un colonel en civil. En effet, Du Barail semblait plutôt flatté de l'intérêt admiratif que semblait lui porter la ravissante fiancée du sous-lieutenant Delatouche.

— Accordez-moi le temps d'annuler mon passage sur l'*Age d'or* et je suis tout à vous, mademoiselle Crèvecœur.

Les paroles du colonel provoquèrent chez Julie une jubilation intérieure telle qu'elle négligea le malencontreux « Mademoiselle Crèvecœur » que Du Barail venait de tout de même de proférer. Mais l'employé avait levé la tête, surpris. N'écoutant que sa témérité, Julie se pencha au-dessus du comptoir.

— Le colonel m'a connue avant mon mariage, murmura-t-elle à l'oreille du préposé qui opina du chef d'un air entendu.

— Vous... vous deviez repartir pour le Mexique, colonel? fit Julie, en essayant de paraître détachée.

— On m'avait retenu une cabine pour le 15 de ce mois, mais l'armée propose et Sa Majesté dispose.

Il se tourna vers l'employé.

— Je pense que cela ne présente pas d'inconvénient pour vous, mon ami?

— Mais non, mon colonel, s'empressa de répondre le jeune homme.

Il décocha un magnifique sourire à Julie Crèvecœur.

— Vous voyez bien, madame, qu'il y a parfois des arrangements avec le ciel.

Julie osa espérer que Du Barail ne prêterait qu'une attention distraite à ces paroles. Elle fut comblée : le colonel serra la main d'une relation qui se trouvait là, à un guichet voisin. Quelques instants plus tard, il faisait monter la jeune fille dans une voiture ministérielle qui stationnait devant la boutique du bijoutier Lemonnier. Julie ne retrouva son calme que lorsque la calèche remonta la rue de la Paix, s'éloignant de la compagnie maritime où Julie avait craint un instant le pire et où, grâce à un coup de théâtre spectaculaire, venait d'être rétablie une situation qu'elle avait crue définitivement compromise.

A la veille de s'embarquer pour la Vera Cruz, Julie Crèvecœur était avide de connaître le maximum de détails sur ce Mexique dont elle savait si peu de chose, en dehors du fait que le pays était à feu et à sang.

— Finalement, ce Juarez, dont tout le monde parle, personne ne sait où il se trouve vraiment?

La question était fort adroite. Julie espérait bien obtenir de Du Barail quelques détails précieux sur l'endroit où, éventuellement, se trouveraient les prisonniers de l'armée mexicaine.

— Juarez est partout et nulle part, expliqua Du Barail, bien plus loquace qu'à Saint-Gratien. Certains le croient en Amérique. D'autres le disent caché dans quelque petite ville ignorée du nord du Mexique. En fait, depuis le commencement de la campagne, il n'est jamais question de lui que pour mémoire.

Julie avait entendu dire qu'il y avait, là-bas, bien plus de Juaristes que de monarchistes. Mais le colonel se montra prudent. Sa jeune interlocutrice insista.

— Je n'ai jamais compris, dit-elle, ce que les Mexicains allaient faire d'un empereur qui leur venait d'Autriche!

110

Du Barail éclata de rire.

— Voilà donc les pensées qui s'agitent derrière un si joli front : de profondes pensées politiques.

— Vous assimilez des réflexions dictées par le simple bon sens à des pensées politiques, mon colonel?

Le colonel parut tout de même un peu décontenancé.

— Je... je n'assimile rien du tout, mademoiselle Julie.

Un peu plus tard, la calèche s'arrêta devant la banque Gaspard, rue Laffitte.

— Vous voici rendue, ma chère.

— Vous avez été infiniment gentil, colonel. Vous ne savez pas le service que vous m'avez rendu.

— En vous déposant devant l'établissement bancaire de monsieur votre tuteur? Mais c'était bien la moindre des choses. Après tout, je suis devenu un peu votre colonel après avoir été celui de ce pauvre Delatouche... Courage, mon enfant, courage. Rien n'est jamais perdu.

C'était bien l'avis de Julie Crèvecœur.

Lorsque Du Barail avait demandé à sa jolie passagère où il devait la déposer, Julie Crèvecœur avait répondu sans hésiter : rue Laffitte. Depuis le départ de son tuteur pour Compiègne, elle ne pensait qu'à revoir Patrice Kergoat afin d'apprendre par sa bouche dans quelles circonstances il était devenu l'homme de confiance de M. Gaspard. Il était indispensable pour Julie de voir clair dans cette affaire plutôt trouble. Aussi, en pénétrant dans le hall de la banque Gaspard, était-elle décidée à profiter de l'absence de son tuteur pour demander des explications à cet individu dangereux.

L'huissier, qui la connaissait depuis toujours, se leva, un peu surpris.

— Je sais que mon tuteur chasse à Compiègne avec l'Empereur, dit-elle. J'étais présente à son départ d'Auteuil, ce matin. Tout le quartier était en émoi.

L'homme se tenait debout, obséquieux. Il était couvert de médailles, car il avait fait la guerre de Crimée, celle d'Italie, ainsi que l'expédition de Chine.

— Sa Majesté tient le Président en haute estime et l'honneur qu'Elle lui fait rejaillit sur tout le personnel de la banque, remarqua-t-il. Dois-je annoncer Mademoiselle à un de ces messieurs de la direction?

— Surtout pas, rétorqua Julie assez vivement. J'aimerais juste dire deux mots au secrétaire de M. Gaspard.

L'huissier prit un air entendu.

— M. Kergoat s'est installé dans le petit bureau qui se trouve à côté de celui du Président, dit-il. Je vais conduire Mademoiselle.

Mais Julie s'était déjà engagée dans le couloir.

— Ce n'est pas la peine, je connais le chemin.

Elle allait frapper à la porte, puis elle se ravisa, abaissa la poignée et pénétra à l'intérieur de la pièce. A son entrée, Patrice, qui avait posé les deux pieds sur sa table de travail, les retira vivement et se dressa, plutôt surpris.

— Vous! s'écria-t-il.

— Moi, répliqua sèchement Julie. Vous n'allez pas me dire que vous êtes étonné de me voir ici?

— J'y comptais bien un jour ou l'autre, concéda le jeune homme. Mais je n'aurais jamais pensé que... que nous allions nous revoir si vite!

Il semblait assez décontenancé, et Julie n'en fut pas fâchée. Elle avait voulu prévenir de la sorte la visite que ce jeune Rastignac n'aurait pas manqué de faire ces jours-ci à Auteuil où M. Gaspard l'avait annoncé. Il se serait présenté alors ayant eu le temps de préparer sa défense. Tandis que là, pris au dépourvu, il risquait d'être sincère. Julie se tint immobile au milieu de la pièce. Il y avait des casiers jusqu'au plafond, marqués d'initiales mystérieuses.

112

— Vous... vous ne voulez pas vous asseoir, mademoiselle Crèvecœur? demanda le jeune homme.

Julie fit semblant de ne pas avoir entendu.

— Il me semble que vous me devez quelques explications, monsieur Kergoat.

Patrice se rassit, bien droit, et son regard extraordinairement brillant se fixait sur Julie avec une franchise un peu déconcertante.

— J'avais l'intention de me rendre à Auteuil dès demain, soi-disant pour y rechercher quelque dossier, mais en réalité pour vous raconter ce qui m'était arrivé l'autre jour, rue Marbeuf, après... après votre départ.

Il paraissait tellement sincère en prononçant ces paroles qu'on pouvait difficilement imaginer que cet être qui était la jeunesse et l'enthousiasme mêmes pouvait être capable d'agir de façon méprisable, voire abjecte. Or, accepter de devenir le secrétaire d'un homme que l'on avait ridiculisé en lui prenant sa maîtresse, c'était faire preuve d'une dose de cynisme exceptionnelle. Voilà ce que pensait Julie qui éprouva à cet instant comme de la pitié pour son tuteur que cette pénible aventure éclairait sous un jour plutôt insolite.

— Je serais bien curieuse de savoir ce qui s'est passé, cher monsieur. Je n'ose croire que vous auriez pu conclure quelque affreux marché avec mon tuteur...

Le jeune homme parut réellement surpris.

— J'ai bien conclu une sorte de marché avec M. Gaspard, mais, toute réflexion faite, il n'a rien d'affreux, dit-il. A condition, bien entendu, que je m'y tienne. Et j'en ai la ferme intention.

Ces paroles sibyllines ne firent qu'accroître le désarroi de la jeune fille. Mais elle n'en laissa rien paraître.

— Croyez-vous qu'on puisse nous entendre? demanda-t-elle.

— Ce bureau est comme un coffre-fort, mademoiselle. Il forme un tout avec le cabinet de travail de M. Gaspard où personne n'a le droit de pénétrer.

— Sauf son secrétaire particulier.

— Sauf son secrétaire particulier, c'est exact, dit Patrice avec beaucoup de sérieux.

Julie, une fois de plus, eut envie de le gifler.

— Peu après votre départ de l'hôtel de la rue Marbeuf, je m'étais esquivé à mon tour, poursuivit Kergoat. À quelque distance de là stationnait une berline. Je n'y prêtai aucune attention. Lorsque j'arrivai à la hauteur de l'équipage, celui-ci s'ébranla. Par la glace baissée, j'aperçus une figure qui ne m'était pas inconnue...

— Mon tuteur, murmura Julie.

— Comment l'avez-vous deviné? s'étonna Patrice.

Julie lui expliqua qu'en quittant Mlle d'Antigny elle avait aperçu, elle aussi, la berline de M. Gaspard et que, pour ne pas être vue, elle s'était engagée dans une rue qui coupait la rue Marbeuf à angle droit.

— M. Gaspard entrouvrit la portière et m'invita à monter, comme si nous étions de vieilles connaissances. La situation était odieuse, mais qu'auriez-vous fait à ma place?

— Je ne sais pas, fit Julie. Ce sont des aventures qui n'arrivent qu'aux garçons. Et encore pas à tous!

Patrice devait se demander si elle prêtait foi à son récit. Or, Julie avait la conviction qu'il disait vrai. Elle se rendait compte que tout ceci cadrait singulièrement avec le personnage de M. Gaspard et elle s'attendait à quelque coup de théâtre spectaculaire.

— Attendez la suite, mademoiselle Crèvecœur.

En vérité, elle en avait d'ores et déjà un vague pressentiment.

— Mon tuteur est un homme peu ordinaire, mon-

114

sieur, qui fait souvent le contraire de ce qu'on pourrait attendre de lui.

— Au début, dit Patrice, je voulais me persuader moi-même que cette rencontre était due au hasard et que M. Gaspard était évidemment dans l'ignorance absolue des liens qui m'attachaient à sa maîtresse. Il insista pour m'inviter à déjeuner au Cercle des Chemins de Fer...

— Et vous avez accepté? s'écria Julie, horrifiée.

Patrice se balançait sur sa chaise dorée.

— Oui, mademoiselle Crèvecœur, j'ai accepté parce que je venais de prendre une décision.

— Laquelle?

— J'avais décidé de passer à l'attaque.

Julie ne comprit pas très bien.

— Entre les huîtres et le perdreau, juste après la truite, j'ai regardé votre tuteur bien en face et je lui ai demandé de jouer cartes sur table.

— Vous avez osé lui parler de la sorte?

— J'ai osé, mademoiselle. Je lui ai dit que lorsqu'il avait fait irruption dans la chambre à coucher de Blanche, je venais de quitter précipitamment le lit encore chaud!

Julie en eut le souffle coupé. Il fallait une singulière audace pour se permettre pareille incongruité dans la salle à manger du Cercle des Chemins de Fer, l'un des hauts lieux de la finance parisienne où les femmes n'étaient pas admises et où, paraît-il, régnait une atmosphère digne et compassée.

— Et mon tuteur ne vous a pas giflé? Il ne vous a pas provoqué en duel?

— Non, mademoiselle. Il a choisi un cigare dans son étui, avec un soin infini, puis il m'a posé quelques questions sur mes études à la Sorbonne. Tout cela avec le plus grand calme et avec une extrême courtoisie. Je ne m'attendais guère à... à une telle réaction.

Pour Julie, l'attitude de M. Gaspard ne pouvait s'expliquer que par le fait que le banquier n'ignorait rien de la liaison que sa maîtresse entretenait avec le jeune Kergoat.

— Votre tuteur se doutait bien que Blanche avait un amant, poursuivit Patrice, mais il ne sut quel était cet amant que lorsqu'il me vit sortir de l'hôtel de la rue Marbeuf. Dès lors sa décision semblait être prise : il allait me proposer une affaire.

— Tout de même, nous y voilà, dit Julie.

— M. Gaspard me proposa de faire ma fortune à condition que je lui donne ma parole d'honneur de ne jamais revoir Mlle d'Antigny.

— Et vous avez accepté?

— J'ai accepté, dit Patrice en baissant les yeux.

— Mais alors, vous n'aimez pas Mlle d'Antigny?

Patrice regarda à nouveau Julie.

— Il me semble vous avoir déjà dit, mademoiselle Crèvecœur, qu'il y avait une grande différence entre le plaisir et l'amour. Je n'aime Blanche pas plus qu'elle ne m'aime. Ce qui ne nous empêche nullement d'éprouver un très vif plaisir lorsque nous nous trouvons ensemble. J'ai accepté d'entrer à la banque Gaspard et, le soir même, j'ai écrit une lettre à Mlle d'Antigny, lui énumérant les raisons pour lesquelles je me trouvais dans l'impossibilité de la revoir.

— La fin d'un beau roman d'amour, en somme, dit Julie avec une cinglante ironie.

Elle trouva injuste que des amants de pacotille comme ceux-là pussent se rencontrer, s'aimer, se séparer avec autant de facilité alors que son amour à elle, son grand amour, avait connu tous les obstacles et qu'il lui fallait à présent traverser l'océan pour partir à la recherche de celui qu'elle aimait et qui, à l'heure actuelle, était peut-être mort ou mourant!

— Je pense que vous n'avez guère de secret pour mon tuteur qui est devenu votre maître, dit-elle, et que, tôt ou tard, si ce n'est déjà fait, vous allez lui raconter comment nous nous sommes retrouvés, vous et moi, au fond d'une même penderie, dans le boudoir de Mlle d'Antigny.

Patrice Kergoat se leva comme mû par un ressort. Une mèche sombre lui barrait le front. Sa voix était frémissante de colère. Julie ne pouvait s'empêcher de le trouver beau. Il était abject, mais son physique ne traduisait en rien la noirceur de son âme.

— Pour qui me prenez-vous, mademoiselle Crèvecœur? s'écria-t-il. Me croyez-vous vraiment capable de trahir un secret dont j'ignore, d'ailleurs, l'essentiel? J'ai fort bien compris que vous étiez épouvantée à l'idée de rencontrer votre tuteur rue Marbeuf, mais j'ignore pourquoi. Mais, ce que je vous supplie de croire, c'est que toute mon existence je conserverai le souvenir de cette matinée peu banale. Depuis que j'avais eu le bonheur de vous être présenté, au théâtre des Variétés, j'attendais avec impatience le moment où le destin nous remettrait en présence. Vous avez dû me trouver parfaitement ridicule, mais tant pis. De quel droit me plaindrais-je, puisque ma position de secrétaire de monsieur votre tuteur me donnera désormais maintes occasions de vous revoir? Pour être tout à fait franc avec vous, c'est cette raison-là surtout qui me poussa à accepter les offres de M. Gaspard.

Julie avait regagné la porte.

— Je crains, monsieur Kergoat, que vous n'ayez fait un mauvais calcul.

Patrice la rejoignit d'un bond.

— Vous refuseriez de me voir?

Julie pensa qu'il était plus sage de ne pas heurter de front un tempérament comme celui-là. Et il aurait été de toute manière fort imprudent d'éveiller les soupçons du nouveau secrétaire de M. Gaspard, en lui laissant entendre, même à mots couverts, que, d'ici très peu de jours, il faudrait aller très loin pour retrouver la trace de Julie Crèvecœur. Elle battit donc en retraite.

— Mais non, monsieur, ce n'est pas ce que j'ai voulu dire. Mais je sors très peu.

— Je sais, répliqua Patrice avec vivacité. M. Gaspard m'avait dit que, en dehors de la princesse Mathilde Bonaparte, vous aviez peu d'amis.

Julie ouvrit la porte.

— Adieu, monsieur Kergoat.

— Vous verrai-je à Auteuil lorsque je m'y rendrai?

— Mon tuteur m'a prévenue de votre visite, monsieur. Je vous ferai, bien entendu, les honneurs de la maison.

Elle allait sortir, mais Patrice la retint.

— Je... je vous déplais tant que ça, mademoiselle Crèvecœur?

— Vous ne me déplaisez pas, monsieur Kergoat. Vous m'êtes indifférent!

Déjà, elle s'était engagée dans le couloir qui conduisait dans le hall de la banque. Elle ne se retourna pas, mais elle savait que le jeune homme était resté immobile sur le pas de sa porte, et qu'il la regardait partir...

Elle arriva place Vendôme peu avant la fermeture des bureaux. L'employé au teint basané afficha, en la voyant, un sourire complice.

— Quand je vous disais, madame, qu'il ne fallait jamais désespérer? Je vous ai fait préparer votre billet aussitôt après avoir fait le nécessaire pour annuler celui du colonel. Désirez-vous le retirer tout de suite?

Julie ouvrit son réticule.

— Oui, monsieur. Combien vous dois-je?

L'employé consulta son registre.

— Vous avez la cabine 73 de la série du grand salon, madame Delatouche, constata-t-il avec satisfaction. Une très bonne cabine. Madame règle en numéraires?

En sortant les billets de banque tout neufs, Julie eut la sensation grisante d'avoir fait un pas décisif vers Alain. Elle ferma les yeux, une seconde, et elle sentit les bras d'Alain se nouer autour de sa taille et l'attirer vers un gouffre délicieux. Elle ouvrit les yeux et revint à la réalité.

— Oui, monsieur.

Julie n'avait osé demander si le colonel Du Barail venait souvent au bureau de la compagnie. Elle pouvait craindre, en effet, qu'une indiscrétion apprît à l'ami de la princesse Mathilde que Julie Crèvecœur avait hérité de sa cabine à bord de l'*Age d'or*. Et le colonel s'empresserait, sans doute, de rapporter cette nouvelle surprenante à la cousine de l'Empereur. Mais même si cela devait se produire, Julie savait qu'elle pouvait compter sur Mathilde, qui aurait peut-être agi comme elle dans une situation analogue. Mathilde Bonaparte n'appartenait-elle pas à cette catégorie de femmes auxquelles la passion donnait toutes les audaces? Du moins, Julie se plut à le croire. Elle revint à Auteuil, serrant dans sa bourse le précieux billet lequel précisait que Mme Julie Delatouche occupait la cabine 73 de la série du grand salon à bord de l'*Age d'or* dont le départ était fixé à Saint-Nazaire le 15 de ce mois, c'est-à-dire dans moins d'une semaine.

M. Gaspard étant à la chasse de l'Empereur, au château de Compiègne, le personnel d'Auteuil avait l'intention de se laisser vivre quelque peu, avec l'accord tacite de Mlle Crèvecœur qui fermait volontiers les yeux sur les absences de la cuisinière et les escapades de Clovis, le valet de chambre, les uns et les autres ne vivant plus dans la crainte d'une brusque arrivée du maître de maison qui, quoique peu là, aimait que tout fût toujours impeccable et sur le qui-vive, dans l'expectative d'un dîner éventuel ou d'une réception improvisée. Cette fois, M. Gaspard était parti, et bien parti. Même Félicien, pourtant homme de devoir et fort attaché à son maître, délaissait en pareille circonstance les écuries dont il était le maître pour aller prendre le café et la goutte chez le marchand de vins attitré de la corporation des cochers.

En arrivant chez son tuteur, Julie ne fut donc pas surprise de trouver la maison exceptionnellement calme et comme désertée de son personnel. Elle monta directement dans sa chambre où elle trouva Antoinette en train de plier des dessous froufroutants qu'elle rangeait avec un soin infini dans le chiffonnier en acajou qui occupait un angle de la pièce.

— Tu n'as pas profité du départ de M. Gaspard pour te promener un peu? s'étonna Julie.

La femme de chambre se retourna.

— Je ne suis pas de celles qui négligent leur travail dès que le maître a le dos tourné, dit-elle. Et puis, je suis au service de Mademoiselle. Et, à ma connaissance, Mademoiselle n'est pas à la chasse.

Il y avait dans ces paroles comme du défi. Julie remarqua que la jeune fille avait les yeux tout rouges.

— Toi, dit-elle, tu as pleuré...

Antoinette s'affaira autour des tiroirs du chiffonnier et ne répondit rien.

— Tu as un chagrin d'amour, et tu ne m'en as pas parlé, fit Julie avec un affectueux reproche dans la voix.

— Je n'ai pas de chagrin d'amour, répliqua Antoinette d'un ton rogue, et je n'ai pas d'amoureux.

— Mais tu as tout de même pleuré...

A cet instant, d'une façon tout à fait inattendue, la femme de chambre laissa tomber la lingerie qu'elle portait sur son bras et éclata en sanglots. Julie la fit asseoir gentiment et se demanda ce qui avait bien pu se passer pendant son absence pour mettre Antoinette dans un tel état.

— Ah, mademoiselle, hoqueta la pauvre fille, c'est trop terrible!

— Qu'est-ce qui est trop terrible, Antoinette?

— Dire que je suis seule à le savoir et que... mon Dieu, je ne sais pas quoi faire...

— Tu es seule à savoir quoi? s'inquiéta Julie.

Antoinette releva la tête. C'était l'image même du désespoir.

— A savoir que Mademoiselle va nous quitter!

Ce fut comme un coup de tonnerre qui aurait éclaté soudainement dans un ciel serein. Comment la petite femme de chambre avait-elle pu apprendre un secret que Julie avait toutes raisons de croire bien gardé?

— Je savais bien que Mademoiselle n'était pas heureuse, dit Antoinette entre deux sanglots, et que, depuis le départ de ce pauvre M. Alain pour les Amériques, Mademoiselle n'arrêtait pas de broyer du noir... Mais pourquoi vouloir partir, vous aussi? Qu'est-ce que je vais devenir, moi, quand Mademoiselle ne sera plus là? Qu'est-ce que je vais devenir toute seule dans cette grande maison?

C'était une pitoyable chose qu'Antoinette en pleurs, son diadème chiffonné, son beau tablier blanc humide de larmes.

— Arrête de pleurer, je t'en supplie, dit Julie avec autorité. Prends mon mouchoir... Et ensuite, dis-moi qui t'a mis cette idée dans la tête.

— Quelle idée, mademoiselle?

— Enfin, il s'est bien trouvé quelqu'un pour te raconter Dieu sait quoi à mon sujet?

La femme de chambre acquiesça de la tête :

— L'armoire! dit-elle.

— L'armoire?

Julie se précipita vers l'énorme meuble en acajou

qui semblait avoir fait de dangereuses confidences à Antoinette. Celle-ci suivit sa maîtresse. Julie examinait les étagères rangées au cordeau. Sous une pile de mouchoirs, Julie avait caché la croix de Malte dans son écrin. Quel secret ce bijou aurait-il pu livrer à la petite femme de chambre ?

— Je ne vois rien de particulier, dit Julie d'une voix neutre. De toute façon, je n'aimerais pas que tu fouilles dans mes affaires. Je n'ai rien à cacher, remarque, mais c'est pour le principe...

Antoinette protesta avec véhémence : jamais elle ne se serait permis de mettre le nez dans les affaires de sa maîtresse.

— Que Mademoiselle ne se méprenne pas. J'ai fait du repassage tout l'après-midi et je suis montée dans la chambre de Mademoiselle pour y ranger les chemises en batiste, celles avec valenciennes...

Julie s'impatienta.

— Tu les as rangées dans l'armoire, bien sûr. Et l'armoire t'a fait des confidences ?

Antoinette se moucha.

— Si on veut. Disons que j'ai fait une drôle de découverte...

— Quelle découverte ?

— Tout était parfaitement à sa place.

Julie fronça les sourcils.

— Il est vrai que j'ai fait des rangements tous ces jours-ci.

La femme de chambre, sous son visage chiffonné par les larmes, prit un air futé :

— Pourtant, d'habitude, Mademoiselle serait plutôt désordre.

C'était vrai.

— Jamais encore Mademoiselle n'avait pris la peine de faire ce qu'elle a fait. Je suis là pour ça, après tout.

Julie trouva sa femme de chambre exceptionnellement psychologue. Quand on examinait l'intérieur de l'armoire, on était frappé, en effet, par une sorte de séparation bien établie entre les colifichets, les fantaisies et les vêtements simples et pratiques. Julie avait sélectionné ce qu'elle jugeait indispensable au grand voyage qu'elle allait entreprendre. Et Antoinette avait lu dans l'armoire ouverte comme dans un livre!

— Vous aviez bien séparé les choses futiles des choses utiles, dit-elle. Je m'en suis aperçue au premier coup d'œil. Et quand j'ai découvert que vous aviez descendu votre sac de voyage, celui en tapisserie, du haut de l'armoire, j'ai tout compris!

Elle fondit en larmes à nouveau.

Julie n'en revenait pas.

— Qu'est-ce que tu as compris exactement?

— Que vous alliez vous en aller de la maison... Que vous alliez mettre les choses utiles et pratiques dans le sac en tapisserie et que vous alliez laisser le reste dans l'armoire. Adieu Auteuil, adieu tuteur, adieu Antoinette!

Julie referma l'armoire.

— Il est dommage qu'on ne prenne pas de femmes dans la police impériale, dit-elle. Tu aurais fait un fameux Vidocq en jupons!

Antoinette, malgré ses larmes, ne put s'empêcher de rire.

— Si j'ai tout inventé, mademoiselle, dites-le-moi, et je vous croirai, je le jure!

Julie réfléchit.

— Eh bien, non, dit-elle finalement. Tu as deviné juste. Je... j'avais l'intention de partir.

Elle aurait été bien incapable de dire pourquoi elle employait cet imparfait prudent, alors qu'elle venait de payer le prix de son billet pour la Vera Cruz.

— Mademoiselle partirait pour... pour là-bas? Mais est-ce que Mademoiselle sait seulement ce que c'est, le Mexique?

Julie eut un geste d'agacement.

— Tu le sais peut-être, toi?

— Je ne le sais que trop bien, mademoiselle, fit Antoinette d'une voix lugubre, depuis que je suis allée danser aux Folies Robert!

Si la situation n'avait pas été aussi dramatique, Julie aurait sans doute éclaté de rire à son tour.

— J'aimerais savoir, ma petite Antoinette, comment tu t'y es prise pour connaître le Mexique dans un bal de barrière?

Julie connaissait de réputation ce bal du boulevard Rochechouart où avait débuté la fameuse Rigolboche. Mais elle voyait mal à la suite de quel concours de circonstances Antoinette avait pu obtenir des renseignements sur le Mexique dans un lieu plutôt mal famé, tenu par un ancien danseur devenu professeur de natation.

— Comment, s'étonna la femme de chambre, Mademoiselle n'a jamais entendu parler de Germain?

— Qui est Germain?

— Le garçon de l'établissement. Il est pourtant célèbre, M. Germain. Quand je lui ai dit que l'amoureux de Mademoiselle s'était engagé pour la guerre du Mexique, il m'a dit que c'était une honte que d'envoyer là-bas des jeunes gens pour leur faire perdre leur scalp et Dieu sait quoi encore, parce que le Mexique c'est un pays de sauvages à ce qu'il paraît, où la vie humaine, ça n'a pas plus de prix que la vie d'un cheval, plutôt moins.

Devant ce flot de paroles, Julie resta éberluée.

— Qu'est-ce qu'il en sait, ton Germain, pour en parler avec une telle assurance?

— Mais il en vient, mademoiselle Julie! s'écria la femme de chambre. Il en vient, des Amériques, et faut voir dans quel état! Ils lui ont enlevé la moitié du crâne!

— Les Mexicains?

— Non, les Peaux-Rouges. Mais ça doit être du pareil au même. Est-ce que Mademoiselle a vraiment réfléchi à ce qu'elle va faire?

Julie préféra ne pas répondre. Antoinette s'était un peu calmée. Si M. Gaspard avait été à Paris, peut-être aurait-elle estimé de son devoir de l'entretenir de ses soupçons. Mais cela n'était pas certain. Elle savait que la brave fille lui était dévouée à la mort. Elle craignait certainement M. Gaspard qui était « le maître », mais elle ne l'aimait guère. Julie frémissait cependant à la pensée d'une indiscrétion toujours possible alors qu'elle avait en poche son passage pour la Vera Cruz!

— Serais-tu capable de me trahir, Antoinette? demanda-t-elle de but en blanc.

La femme de chambre secoua la tête rageusement.

— Jamais! dit-elle à mi-voix, mais avec une violence contenue qui en disait long sur les sentiments qui l'attachaient à Julie Crèvecœur. Quand on n'a personne qui s'intéresse à vous et personne à qui s'intéresser, on s'attache à sa maîtresse comme un chien à son maître.

Cet aveu spontané rassurait Julie. Elle entoura de son bras l'épaule de la jeune fille.

— Pauvre, chère Antoinette, murmura-t-elle.

— Je ne suis pas à plaindre, puisque je suis très heureuse auprès de Mademoiselle. Tout ce qui arrive à Mademoiselle, et il lui en arrive, des choses, c'est un peu comme si ça m'arrivait à moi. Par ricochets. Pour Mademoiselle, il y a, bien sûr, des inconvénients. Par exemple : j'en sais toujours un peu trop. Seulement, il faut que Mademoiselle le sache : jamais je ne trahirai les secrets de Mademoiselle. La preuve, c'est que je savais que M. Alain était l'amant de Mademoiselle et que je ne l'ai jamais dit à personne. Même pas au curé qui me pose toujours des tas de questions...

— Et M. Gaspard? S'il t'interrogeait, un jour, ne serait-ce pas de ton devoir de lui dire la vérité?

— Je... je ne pourrais pas. Et pourtant, j'ai pour lui du respect. De toute façon, quand il connaîtra la vérité, s'il devait la connaître un jour, ce sera trop tard : Mademoiselle sera loin, sur la mer, et moi, il me chassera, c'est sûr. On ne pourra rien y faire.

Ce même soir, Julie dîna assez frugalement, servie par Clovis sous la surveillance d'Antoinette qui avait changé de tablier et de coiffe. De temps à autre, servante et maîtresse échangèrent un regard qui en disait long sur les rapports d'affection qui les attachaient l'une à l'autre. Julie trouva la vie absurde qui faisait naître les uns riches et les autres pauvres. Mais elle se disait qu'il y avait une sorte de justice dans cette injustice, puisqu'elle était malheureuse et seule au monde, exactement comme Antoinette. Et, comme sa femme de chambre, elle n'avait jamais connu ses parents.

Julie se jura que si elle devait revenir saine et sauve du Mexique, au bras de son bien-aimé, elle ferait la fortune de sa femme de chambre, la doterait pour qu'elle puisse faire un mariage bourgeois. Et Julie Crèvecœur imagina une salle à manger comme celle-ci où Antoinette serait assise en face d'elle, parlant de ses enfants comme Julie parlerait des siens...

Le lendemain, au début de l'après-midi, Clovis vint annoncer à Julie que le secrétaire de Monsieur attendait dans la bibliothèque et qu'il demandait à être reçu par Mademoiselle. Julie fit exprès de le faire attendre un long moment, puis elle alla le retrouver. A son entrée, Patrice Kergoat jaillit de son fauteuil comme une lame de son fourreau. Il était méconnaissable; un dandy parisien de la tête aux pieds.

— Vous êtes superbe, monsieur Kergoat, fit Julie

126

avec un peu d'ironie dans la voix. Vous n'êtes encore que secrétaire particulier, mais vous avez déjà tout du banquier.

— Sauf la fortune, répliqua Patrice.

Il croisa ses jambes comme il avait vu sans doute le faire au Cercle des Chemins de Fer où il avait déjeuné avec M. Gaspard. Sur des bottines vernies, il portait des guêtres blanches. Julie aurait parié que son complet avait été coupé par Human, rue Neuve-des-Petits-Champs, qui était le tailleur de M. Gaspard et représentait l'avant-garde de la mode masculine, s'opposant au vieux Chevreuil dont le banquier parlait comme d'un *has been*, un tailleur qui avait connu son apogée au début de l'Empire, mais qui était actuellement sur son déclin, n'ayant pas su s'adapter au goût de la jeunesse qui aimait la couleur et la fantaisie.

— Je vais sans doute vous décevoir, monsieur Kergoat, mais je ne sais pas du tout où mon tuteur range ses dossiers.

Patrice se leva.

— M. Gaspard m'a laissé des instructions très précises.

Il s'approcha du bureau en écaille et cuivre, inspiré de Boulle. Bien en vue, une chemise en carton où Julie pouvait lire de l'énorme écriture de son tuteur : « Pour Kergoat ».

— Voilà, disait Patrice, prenant le dossier. Ce n'était pas plus compliqué que cela.

Sur un porte-lampe représentant un nègre assis, il avait posé une rose comme en vendaient les bouquetières, sur les boulevards, la tige entourée de papier d'argent.

— Au risque de braver le ridicule, je vous ai apporté une rose, alors que vous en aviez plein dans votre jardin.

Julie prit la fleur, non sans hésiter.

— Cela ne vous va guère, en effet. Je vous verrais plutôt armé d'un pistolet que d'une rose!

Patrice sourit et montra ses dents blanches, éclatantes, de jeune carnivore.

— La bourse ou la vie! s'écria-t-il comiquement.

— Exactement, répliqua Julie avec beaucoup de sérieux.

Patrice fronça les sourcils.

— Vous m'en croyez vraiment capable?

— Qui sait? fit Julie. (Et elle ajouta, changeant de ton :) Mais qu'avez-vous ce matin, monsieur? Vous manquez de mordant et vous vous promenez avec une fleur à la main. Au contact du beau monde, vous allez vous édulcorer, et ce serait dommage.

— Vraiment, mademoiselle Crèvecœur?

Julie crut qu'il s'était mépris sur le sens de ses paroles.

— Ce serait dommage pour vous, se hâta-t-elle d'ajouter. Ce serait un peu comme un serpent qui perdrait son venin!

Patrice se détourna, prêt à partir.

— Je pense que si je vous disais que je suis désespéré, vous vous moqueriez de moi...

— Vous avez fait des spéculations malheureuses? questionna Julie qui n'ignorait pas que tout le monde autour du banquier Gaspard jouait en bourse.

— Je n'ai pas les moyens de spéculer sur les valeurs, disait Patrice. Ces vêtements, je me les suis fait faire à crédit chez le tailleur de monsieur votre tuteur.

Julie ne s'était donc pas trompée.

— M. Gaspard a pourtant l'habitude de payer fort bien son personnel, remarqua-t-elle.

— D'ici quelques mois, je roulerai sur l'or, dit Patrice. Je pourrai alors vous inviter à souper aux Champs-Elysées et j'aurai ma table retenue en permanence au bal Mabille...

128

Julie était sur le point de lui répliquer qu'il aurait intérêt à séduire quelque Lorette des boulevards qui ne demanderait pas mieux que de partager les plaisirs faciles de ce futur roi de la finance. Mais elle se tut. Il lui était venu subitement une idée folle, mais ô combien séduisante. Patrice Kergoat avait évoqué le fameux bal Mabille, aux Champs-Elysées, mais Antoinette n'avait-elle pas dansé aux Folies Robert où ce Germain, garçon de café et globe-trotter, se vantait de connaître l'Amérique d'où il revenait précisément? Et n'était-ce pas le moment de chercher dans Paris quelqu'un qui serait susceptible de fournir à Julie Crèvecœur quelques conseils pratiques sur la vie, le climat, et les mœurs d'un monde dont elle ignorait à peu près tout? Si le garçon des Folies Robert revenait vraiment du Mexique, Julie devait absolument le consulter. Mais comment une jeune fille du monde s'y prendrait-elle pour aller seule dans un bal de barrière, fréquenté par une humanité plutôt douteuse? Antoinette refuserait à coup sûr d'accompagner sa maîtresse jusqu'à Rochechouart où les filles isolées faisaient « mauvais genre » et risquaient gros pour leur vertu.

— Il existe des endroits bien moins coûteux que Mabille, dit Julie, étonnée de sa propre audace.

Patrice tourna la tête, surpris :

— Que voulez-vous dire par là, mademoiselle Crèvecœur?

— Je suppose que M. Gaspard vous a encouragé à... à vous montrer aimable avec moi, à me sortir éventuellement, puisqu'il me reproche de m'étioler ici, à Auteuil.

Cette fois, Patrice rougissait comme une fille.

— C'est exact, concéda-t-il. Mais je ne me fais aucune illusion. Vous... vous ne m'aimez guère.

C'était trop beau : accompagnée du secrétaire de son tuteur, Julie n'aurait même pas besoin de se cacher. Elle pouvait se rendre où bon lui semblait avec pour ainsi dire la bénédiction de M. Gaspard.

— Vous manquez de confiance en vous, monsieur Kergoat. La fréquentation des demoiselles d'opéra aurait dû vous apprendre que les femmes sont capricieuses.

— Je n'ai jamais connu de demoiselle d'opéra! s'exclama Patrice.

— Cela ne saurait tarder, dit Julie. En attendant, je vous autorise à m'emmener au bal ce soir, à condition que ce ne soit pas un bal ordinaire.

L'expression de stupeur sur le visage du jeune homme aurait dû faire sourire Julie. Mais elle ne pensait qu'à mener à bien le projet qu'elle avait conçu.

— Je... je connais mal Paris, murmura Patrice.

— Aucune importance, trancha Julie. J'ai des adresses étonnantes... Pour réduire les frais, nous demanderons à Félicien de nous conduire avec la berline de mon tuteur. La nuit, les fiacres sont hors de prix!

Le jeune homme était déconcerté par l'attitude de Julie.

— Vous renversez les rôles, mademoiselle. Vous décidez à ma place, vous organisez tout et vous me faites cruellement ressentir mon extrême dénuement en essayant de réduire les frais d'une soirée au cours de laquelle j'aurais voulu vous éblouir...

Julie eut conscience qu'il y avait une part de vérité dans les paroles du secrétaire de M. Gaspard.

— Excusez-moi, monsieur, dit-elle. Si vous préférez attendre quelques semaines... ou quelques mois... le temps de m'éblouir, à votre guise! Mais il faut que je vous prévienne : de toute façon la fortune ne m'impressionne guère. Je ne m'intéresse qu'aux qualités de cœur.

Elle savait que Patrice Kergoat ferait exactement ce qu'elle voulait et que ce soir même il l'emmènerait aux Folies Robert!

Après le départ du jeune homme, elle se rendit aux écuries où Félicien, un peu bouffi, car il avait passé une partie de la soirée au cabaret de la Girafe, s'occupait mollement des chevaux et des attelages, houspillant le valet d'écurie.

— Comment est Sultan ce matin? se renseigna la jeune fille.

— Superbe, dit le cocher. Que Mademoiselle aille le voir dans son box. Il a eu sa ration d'avoine, je l'ai pansé, je lui ai fait le poil, je l'ai bouchonné. Il brille comme un sou neuf, l'alezan. Est-ce que Mademoiselle a l'intention de le monter ce matin?

Telle était en effet l'intention de Julie.

— Alors que Mademoiselle me permette de lui donner un conseil : Sultan est vif et franc du collier, mais il a la bouche sensible. Si Mademoiselle le brusque, il peut devenir ombrageux et, dans ce cas-là, attention à la saccade!

— Je le connais comme si nous avions été élevés ensemble, dit Julie.

Elle avait toujours du sucre à portée de la main pour Sultan. Avant d'aller le voir dans son box, elle se tourna vers le cocher.

— Je sors ce soir, Félicien, dit-elle. Pour faire plaisir à Monsieur, j'ai accepté l'invitation de son nouveau secrétaire. Nous irons chercher ce jeune homme à la banque vers 6 heures. Nous dînerons et nous irons ensuite au bal...

Félicien paraissait radieux.

— Bon sang, mademoiselle, s'écria-t-il, voilà qui fait plaisir! Faut vous changer les idées, que diable. C'est ce que nous disons toujours, aux cuisines : Mademoiselle Julie, elle est trop sérieuse!

Julie s'était présentée rue Laffitte à la fermeture des guichets. Patrice Kergoat travaillait encore dans le bureau qui faisait suite à celui de M. Gaspard. Il ne savait que penser de cette étrange jeune fille qui lui avait clairement laissé entendre qu'elle n'éprouvait à son égard que de l'indifférence, voire de l'aversion, et qui semblait pourtant bien pressée de le revoir!

— Je ne réalise pas tout à fait ce qui m'arrive, dit-il, une fois installé dans la berline de son patron, aux côtés de Julie, plus belle que jamais, quoique vêtue fort simplement. (Elle s'était dit qu'il valait mieux passer inaperçue dans un endroit comme les Folies Robert.)

— Où allons-nous, mademoiselle? s'inquiéta Félicien.

— Là où M. Kergoat a l'intention de nous convier à dîner, dit Julie. (Et elle s'empressa d'ajouter qu'elle n'avait guère faim et qu'elle était impatiente d'aller s'encanailler dans quelque bal de barrière.)

— Au café de Suède, fit Patrice très grand seigneur.

Il voulait, semblait-il, prouver à la pupille de M. Gaspard qu'il avait déjà acquis ce savoir-vivre parisien qui faisait que les esprits raffinés préféraient grignoter quelque nourriture simple entre gens de bonne compagnie, plutôt que de se livrer à des agapes au milieu d'une assemblée de goinfres.

Au café de Suède où se côtoyaient des journalistes et des gens de théâtre, Julie éprouva à nouveau cette impression de solitude qui ne la quittait plus guère depuis le départ de son amant. Ces gens qui se connaissaient tous et qui semblaient heureux de vivre, heureux d'être ensemble, elle ne put s'empêcher de les envier. Pourquoi n'appartenait-elle à aucune famille, à aucune communauté? Et pourquoi le seul être au monde qu'elle eût aimé avec ses sens et avec son cœur l'avait-il quittée pour la laisser seule et désemparée, au milieu de tous ces étrangers qui la regardaient, qui avec convoitise, qui avec admiration?

— Où êtes-vous, mademoiselle Crèvecœur? demanda Patrice.

— Avec vous, au café de Suède, dit Julie.

— Je vous croyais très loin, aux Amériques.

Julie sursauta. Que signifiait cette réflexion? Puis elle se raisonna : Patrice avait dit « aux Amériques », comme il aurait dit « aux Indes ».

— Allons-nous-en, dit Julie. Vous m'avez fait connaître le café de Suède, à moi de vous faire découvrir les Folies Robert.

Patrice n'avait jamais entendu parler des Folies Robert.

— C'est pourtant un bal de barrière très réputé, dit Julie.

— Vous êtes une habituée des bals de barrière? s'étonna le jeune homme.

— Ce sont des endroits à Paris où l'on s'amuse mieux que nulle part ailleurs, répliqua Julie.

En pensée, elle demanda pardon à Alain pour ces paroles. Mais il était inutile d'éveiller les soupçons du nouveau secrétaire de M. Gaspard. Qu'il s'imagine donc que Julie Crèvecœur était assoiffée de plaisirs et de sensations fortes. L'important ce soir était de rencontrer un certain Germain, garçon de café de son métier, et qui s'était fait scalper par les Indiens quelque part au Mexique ou à sa frontière. L'important ce soir était de mettre de son côté toutes les chances de réussir dans une entreprise follement audacieuse : arracher un prisonnier de guerre aux griffes de Juarez, le rebelle qui haïssait les Français, au point de les pendre haut et court dès qu'il en trouvait un de vivant.

La berline de M. Gaspard attendait sur le boulevard. Le cocher somnolait sur son siège, lorsque Julie Crèvecœur sortit du café de Suède en compagnie de Patrice Kergoat.

— En route, Félicien, dit Julie, alors que Patrice l'aidait à monter en voiture.

133

— Que Mademoiselle m'excuse, mais je poussais un petit roupillon en me disant que Mademoiselle prendrait tout son temps pour dîner. Où allons-nous à présent?

— Boulevard Rochechouart, ordonna Julie.

Félicien parut surpris.

— Sans blague? fit-il. Et à quel numéro?

— Au dix-huit.

Le cocher se retourna sur son siège.

— Mademoiselle ne va pas me dire que ce petit monsieur va emmener Mademoiselle danser aux Folies Robert?

— Mais si, Félicien.

Le bonhomme se grattait la tête avec la poignée de son fouet.

— Ce n'est pas un endroit pour Mademoiselle, dit-il, dubitatif. Si j'étais à la place de monsieur le secrétaire de Monsieur, ce n'est pas aux Folies Robert que j'emmènerais Mademoiselle, mais plutôt chez Bullier, ou, à la rigueur, aux Mille Colonnes.

Patrice, qui n'avait rien dit, éleva tout de même la voix.

— Je vous ferai remarquer, dit-il, que ce n'est pas moi qui ai choisi ce bal de barrière, mais Mlle Crèvecœur.

Félicien ne se permit plus aucune remarque jusqu'au moment où l'attelage s'engagea sur le boulevard Rochechouart. Il s'arrêta devant la salle violemment éclairée au gaz et se posa en faction à l'entrée de l'établissement. Il n'avait plus l'intention d'en bouger jusqu'au moment où Julie Crèvecœur reparaîtrait au bras de son cavalier.

La vaste salle n'était encore que médiocrement remplie. A son extrémité un piano, un cornet à pistons et un violon faisaient figure d'orchestre. Le public paraissait bon enfant. Certains danseurs étaient en manches de chemise. L'orchestre, un peu essoufflé, terminait une polka.

D'une sorte de terrasse attenant à la salle éclairée au gaz descendaient des groupes de fumeurs de cigarette, de cigare ou de pipe qui venaient déambuler là, au milieu de la piste de danse, chapeau sur la tête, saluant l'une ou l'autre des demoiselles dont quelques-unes étaient fort belles. Il y avait des lorettes et des grisettes en début de carrière ou en fin de course, des demoiselles de magasin et des femmes de chambre naïves.

La terrasse était garnie de tables. C'est là qu'on servait à boire. Julie cherchait du regard l'homme qu'elle était venue voir dans cet endroit assez rébarbatif. Un garçon en tablier blanc circulait entre les consommateurs, mais Julie remarqua qu'il avait une abondante toison rousse qu'il portait en toupet sur le crâne, avec des favoris qui lui mangeaient la moitié des joues. Ce n'était en aucun cas le fameux Germain.

Patrice installa Julie Crèvecœur à une table un peu à l'écart d'où l'on dominait cependant la vaste salle et l'orchestre qui attaquait une valse.

— Ce n'est pas d'une folle gaieté, remarqua Patrice.

— Il est encore trop tôt, répliqua vivement Julie qui venait de voir surgir près de leur table le rouquin prêt à prendre la commande.

— Pour moi, ce sera une absinthe, fit Julie.

Patrice fit mine de ne pas s'étonner.

— Deux absinthes, lança-t-il au garçon qui allait repartir. Mais Julie le retint.

— M. Germain n'est pas là ce soir?

— M. Germain n'a pas fini de dîner, répliqua le serveur, et il y avait comme du respect dans le « M. Germain ».

— Extraordinaire! s'exclama Patrice. Que je sois, moi, un habitué du café de Suède, passe encore. Mais que vous soyez, vous, une habituée des Folies Robert, voilà qui est tout à fait surprenant!

Julie ne fit rien pour détromper le jeune homme.

Qu'il pense donc ce que bon lui semble! L'important était de se trouver là, ce soir. Elle accepta de danser avec lui.

Lorsque l'orchestre s'arrêta, à bout de forces, Julie se sentit observée du haut de la terrasse. Elle leva la tête et découvrit une sorte de grand échassier, ceint d'un tablier blanc qui lui descendait jusqu'aux pieds. Il portait autour du cou une serviette en guise de foulard et il avait le haut du crâne entièrement dégarni et d'une couleur indéfinissable. En vérité, c'était une apparition non seulement insolite, mais effrayante, car une épaisse chevelure brune lui tombait sur les yeux et couvrait ses oreilles. Il semblait prendre plaisir à souligner l'incongruité de sa tonsure qui ne ressemblait à aucune calvitie connue. A n'en pas douter, c'était lui, Germain.

Patrice avait suivi le regard de sa danseuse.

— Vous avez un admirateur là-haut, dit-il avec quelque ironie. Une sorte de moine défroqué devenu garçon de café.

— C'est le fameux Germain, murmura Julie. Un homme extraordinaire, à ce qu'on dit, et ce que vous prenez pour une tonsure, c'est une cicatrice.

Julie n'avait plus qu'une chose en tête : faire la connaissance de ce personnage et pouvoir le questionner sur le Mexique où il avait vécu longtemps et qu'il connaissait, d'après Antoinette, sur le bout du doigt. Il fallait, cependant, être prudente et ne pas manifester une curiosité excessive en présence de Patrice Kergoat. Le cœur battant, elle retourna à leur table, suivie de son cavalier. Le dénommé Germain l'y attendait.

— La señorita a demandé après moi? Je suis Germain.

Avec des gestes dignes d'un grand d'Espagne, il préparait les absinthes.

— Si la señorita désire que je lui raconte dans

quelles circonstances j'ai failli abandonner aux Indiens Comanches la peau de mon crâne, c'est avec plaisir; j'ai l'habitude, vous savez. Les dames du meilleur monde viennent aux Folies Robert pour frissonner après souper.

La réponse de Julie se perdait dans le vacarme général provoqué par les danseurs sur la piste, à présent fort nombreux.

— Venez voir, mademoiselle Crèvecœur! s'écria Patrice.

Et prenant Julie par le bras, il la força à se tourner vers la piste de danse. La jeune fille, qui ne pensait qu'au but très précis qu'elle poursuivait, fut agacée par l'intervention de Patrice Kergoat. Mais, de toute manière, le bruit devenu infernal empêchait tout entretien sérieux avec le garçon de café globe-trotter.

L'orchestre avait reçu du renfort en la personne d'un clarinettiste. Puis arriva un flûtiste presque aussi fluet que son instrument. Au milieu d'un vaste cercle de danseurs, se plaçait un jeune homme, calicot outrageusement élégant, qui enlaçait une demoiselle d'aspect plutôt vulgaire. Sous les acclamations de la foule, le couple se lançait dans une friska endiablée, accompagnée d'entrechats, de jetés-battus et de culbutes. De partout fusèrent des cris d'animaux, des lazzi et même des projectiles.

— Prodigieux! s'exclama Patrice.

Julie Crèvecœur se demandait comment elle allait pouvoir s'y prendre pour faire parler le garçon de café. La jeune fille était révoltée à l'idée que tous les efforts qu'elle avait déployés allaient se solder par un échec, l'atmosphère du lieu et la présence du secrétaire de M. Gaspard l'empêchant de réaliser son dessein. La providence lui vint en aide par l'intermédiaire de l'homme au crâne tonsuré. Voyant l'enthousiasme de Patrice, il lui cria à l'oreille :

— Si Monsieur voulait nous faire l'honneur d'une

petite exhibition sur la piste... Le señor est un brillant danseur... Je l'ai observé, tout à l'heure.

Julie se tourna vers Patrice, les joues en feu :

— Oh oui, Patrice! Montrez-leur ce que vous savez faire.

Le jeune homme fixa sur Julie ses yeux phosphorescents.

— Vous qui avez si mauvaise opinion de moi, vous devriez savoir que je ne fais jamais rien pour rien.

— Vous voulez que je vous paie pour danser?

Au lieu de répondre, Patrice l'attira contre lui, d'un geste brusque, et l'embrassa par surprise. Julie en resta suffoquée.

— Ce n'est qu'un à-valoir, dit le jeune homme.

Et, tourné vers Germain qui riait sous cape :

— Trouvez-moi une partenaire docile, mon ami... La danse c'est comme l'amour : il y faut un maître et une esclave!

Julie Crèvecœur avait envie de saisir une carafe d'eau qui se trouvait à portée de sa main et de la briser sur la tête de Patrice Kergoat. Elle rageait intérieurement, mais réussit à se dominer. Elle était venue là pour glaner des renseignements et non pour se mesurer au secrétaire de son tuteur.

— Monsieur a le choix, dit Germain à Patrice. La maison peut offrir à Monsieur Elisa-belle-jambe... c'est la grande brune qui lance des confetti sur Bébé-de-Cherbourg en train de danser la friska... Nous avons aussi Cigarette, que Monsieur voit assise sur les marches de l'escalier... Elles sont expertes en scottish, toutes les trois, mais elles dansent aussi le fango et l'impériale mieux que personne à Paris.

Kergoat vida son verre d'absinthe d'une traite.

— Va pour Cigarette, dit-il, si Mlle Crèvecœur est d'accord... Après tout, c'est elle qui paie!

— D'accord pour Cigarette, dit Julie sans relever l'insolence du jeune homme.

138

— Je m'en occupe, señor.

Germain allait s'élancer. Patrice l'arrêta.

— Inutile. Je m'en charge. Dites à l'orchestre de jouer une scottish.

Il se dirigea vers la jeune femme, s'installa à ses côtés sur les marches de l'escalier, lui parla à l'oreille. Cigarette s'étira, examina Patrice de la tête aux pieds.

— Ça colle pour moi! s'écria-t-elle à haute et intelligible voix.

Germain donna un ordre au rouquin qui s'en alla prévenir les musiciens.

— C'est pas n'importe qui, votre petit ami, dit Germain à Julie Crèvecœur.

— M. Kergoat n'est pas mon petit ami, répliqua Julie. Mais je vous concède qu'il a une certaine personnalité.

Julie s'assura que personne ne les écoutait. Mais les gens autour d'eux étaient uniquement préoccupés par ce qui se passait sur la piste de danse où l'orchestre attaquait la scottish.

— Monsieur Germain, dit Julie, très vite, je suis venue là ce soir parce que j'ai appris qu'il y a peu de temps encore, vous vous trouviez au Mexique...

L'homme à la tonsure passa la main sur son horrible cicatrice.

— J'en reviens, dit-il. J'ai laissé là-bas une fortune en piastres. Une fortune, señorita. De quoi acheter tous les bals de Paris ou presque.

Julie ne comprenait pas très bien.

— Et vous avez abandonné tout cela?

— Parfaitement, señorita. J'ai juste emporté ce que les rebelles, les Yankees et les brigands ont bien voulu me laisser. Des miettes. De quoi m'associer avec M. Robert, un point c'est tout. Et pourtant, je vous prie de croire que je n'ai jamais eu froid aux yeux. Mais le Mexique, sauf votre respect, c'est un pays pourri. Trop content de ne pas y avoir laissé ma peau...

Julie s'imaginait avec effroi débarquant dans un pays où des hommes de la trempe de Germain, qui ne devait pas être un enfant de chœur, se laissaient dépouiller de leur bien, en s'estimant heureux de s'en tirer à si bon compte.

— Vous semblez pourtant de taille à vous défendre, murmura-t-elle.

L'homme à la tonsure n'était pas seulement immense, mais il devait avoir des muscles d'acier à en juger par ses avant-bras nus et tatoués.

— A la loyale, je ne crains personne, admit l'étrange personnage. Mais qu'est-ce que vous voulez faire dans un pays où tout le monde se bat contre tout le monde? Où vous ne savez jamais si vous avez affaire à un ami ou à un ennemi? Encore les militaires, ils ont un uniforme. Eux, au moins, on les reconnaît. Mais les autres, tous les autres? Là-bas, señorita, les gens, ils vivent tous comme s'ils allaient mourir demain!

L'orchestre attaquait la scottish.

Sur la piste, les autres danseurs faisaient cercle autour de Patrice Kergoat et de Cigarette, lançant des quolibets et des cris d'animaux divers, histoire d'encourager l'exhibition du couple annoncée à grands renforts de roulements de tambour et de coups de cymbale.

— Et en avant pour la scottish! criait Cigarette.

Julie se tourna vers son interlocuteur :

— Imaginez quelqu'un qui débarquerait au Mexique où il ne connaîtrait personne, où personne ne le connaîtrait et qui chercherait à se rendre de la Vera Cruz jusqu'à Culiacan, dans la province du Sinaloa.

Germain dressa l'oreille.

— Culiacan? Vous avez bien dit : Culiacan?

— Oui, bien sûr.

140

— Entre Mazatlan et Guayamas?

Germain caressa le sommet de son crâne, pareil à un paysage lunaire avec ses cratères et ses boursouflures.

— Ce serait un vrai suicide, dit-il enfin. Vous connaissez quelqu'un qui serait assez fou pour se risquer par là-bas en ce moment?

— Oui, répliqua Julie. Je connais quelqu'un qui a déjà son billet en poche et qui embarque dans deux jours à Saint-Nazaire.

— Je lui souhaite bien du plaisir, dit Germain lugubre.

Julie sentait son courage l'abandonner. Derrière le laconisme de cet homme se dessinait une humanité effrayante dans un pays dévasté par la guerre et où régnait l'anarchie la plus totale. Elle sentait peser sur elle le regard froid de l'homme à la tonsure.

— A mon humble avis, dit-il, le Mexique c'est une poudrière. Et les Français ne tarderont pas à rembarquer. Oui, señorita, on va quitter le Mexique, on va abandonner l'empereur Maximilien à son triste sort avec sa Charlotte. Voilà ce que nous mijote le petit Napoléon tout en chassant la grouse à Compiègne.

La façon de parler de Germain était singulièrement convaincante. Il dégageait non seulement une impression de force physique, mais il avait aussi ce solide bon sens populaire qui ne s'embarrassait guère des idées toutes faites au sujet des empereurs, des impératrices, de leurs droits et de leurs privilèges. Julie pensa avec terreur au jour prochain où elle arriverait à la Vera Cruz sans savoir à qui s'adresser.

— Si les Français abandonnent le Mexique, que va-t-il se passer à votre avis?

L'orchestre déchaîné et les hurlements de l'assistance l'avaient contrainte à élever la voix pour se faire entendre.

— Ce sera l'heure de Juarez, répliqua Germain.

141

C'est un grand homme, señorita, et il a l'immense avantage d'être mexicain!

Les cris des danseurs formant cercle autour de Patrice Kergoat et de sa partenaire Cigarette redoublèrent de vigueur, au point de couvrir la voix de Germain. L'orchestre, à bout de forces, venait de mettre un terme à l'exhibition et Julie put voir la jeune femme se pendre au cou de Patrice et l'embrasser longuement, goulûment, là, au milieu de la foule, avec un parfait sans-gêne, indifférente aux lazzi qui fusaient de toutes parts. C'est alors qu'un énorme gaillard, chapeau sur la tête, cigare entre les dents, pénétra dans le cercle, saisit Cigarette par la taille, brutalement, l'arracha à son danseur médusé, et la gifla à toute volée, deux fois, de droite à gauche, puis de gauche à droite.

— Garce! disait-il, salope, tu me paieras ça...

Revenu de sa surprise, Patrice écarta la jeune femme, envoya valser le cigare que l'individu serrait entre ses dents, balaya le chapeau haut-de-forme que l'homme portait repoussé en arrière et s'écria :

— Monsieur, j'admets que l'on corrige une femme, mais pas avec un cigare au bec et couvert!

Le gaillard fit entendre un rugissement de fureur et se jeta sur Patrice.

Julie poussa un cri d'effroi : elle avait vu briller dans la main du protecteur de Cigarette la lame d'un couteau. Patrice, avec une agilité remarquable, esquiva le coup que l'autre allait lui porter. Mais il ne pouvait se défendre qu'avec ses poings nus. La partie était par trop inégale. Julie ne put s'empêcher d'admirer le sang-froid du jeune homme qui se jouait de son adversaire, après avoir pris soin d'écarter, en douceur, Mlle Cigarette qui avait voulu s'interposer. C'était un Kergoat bien différent de celui qui s'était caché dans la penderie de Blanche d'Antigny pour ne pas être surpris par M. Gaspard.

La foule s'était tue, brusquement. Le cercle s'était

élargi comme pour laisser davantage de champ aux antagonistes. Cela ne pouvait que finir tragiquement. Julie se sentait responsable de ce qui allait arriver. Il fallait agir et vite. Elle s'élança en direction de la piste. Mais une main l'arrêta.

— Laissez-moi m'occuper de ça, señorita.

Germain avait sauté sur une table.

— Lâche ça, surineur! hurlait-il d'une voix terrible. L'homme tourna la tête.

— Mêle-toi de ce qui te regarde, Germain.

Patrice saisit l'occasion pour bondir sur son adversaire avec l'intention de le désarmer. Il allait se faire embrocher! Mais, en même temps, Germain avait sauté sur l'homme, effectuant un véritable plongeon avant de lui assener un coup de poing formidable, de quoi lui fracasser la mâchoire. L'autre poussa un hurlement, vacilla sur ses jambes, dessinant des moulinets dans l'air avec son couteau à la pointe effilée, étincelant aux lumières des quinquets.

Julie se rappela que Germain avait fui le Mexique parce qu'il avait eu peur pour sa vie... Un tel homme avoir peur!

Patrice s'était montré furieux de l'intervention du garçon de café.

— Arrêtez! Laissez-moi le corriger.

— Enfant, haleta Germain. Où c'est-y que tu te crois? Au Boxing-Club des Champs-Elysées?

L'homme qu'il appelait « le surineur » était tombé comme une masse. Prestement, Germain avait ramassé le couteau. L'orchestre attaquait une mazurka. Les couples se reformèrent aussitôt, comme si rien ne s'était passé. Le rouquin, aidé par le personnel, avait emporté le surineur, inerte. Germain était revenu à Julie Crèvecœur. Il la conduisait vers la sortie du bal.

— Voilà ce qui arrive tous les soirs à Rochechouart, señorita, disait imperturbable le garçon de café. Et c'est de l'amuse-gueule à côté de ce qui arrive

143

à la Vera Cruz, à Mazatlan ou à Chihuahua dix fois par jour... Ici, señorita, c'est à la bonne franquette. Là-bas, ce qu'ils aiment, c'est l'odeur du sang!

Patrice Kergoat dut serrer des mains, à droite et à gauche, car aux Folies Robert on savait reconnaître le courage. Il rejoignit Julie qui avait pris la décision de lui pardonner le baiser de tout à l'heure. Elle le mit sur le compte de l'absinthe qui tournait les têtes. Elle aussi se sentait prise d'une sorte de vertige et elle ne pouvait dire si c'était à la suite des violences qui venaient de se dérouler sous ses yeux ou si c'était sous l'effet de l'alcool. Elle fut presque soulagée lorsque Patrice lui prit le bras pour la conduire jusqu'à la voiture qui les attendait sur le boulevard désert, car il était fort tard.

Germain les escortait.

— A propos, dit Patrice, j'ai tout à fait oublié de vous régler nos consommations.

Il porta la main à son gousset, mais l'autre prévint son geste.

— Pas question, señor. C'est moi qui suis votre débiteur, puisque vous nous avez donné quelques émotions. Et un bal où il y a un peu d'émotion entre les danses, c'est un bal qui a le vent en poupe!

Il avait néanmoins sorti le calepin sur lequel il devait établir les additions. Il y griffonna quelque chose, détacha le feuillet, le plia en quatre et aida Julie Crèvecœur à monter dans la berline. En même temps, il lui glissa le papier subrepticement.

— Bon voyage, señorita, disait-il.

Ensuite il claqua la portière et l'attelage s'ébranla.

Ce fut un étrange retour de bal à travers Paris endormi. Julie pensa avec une certaine angoisse à ce qui l'attendait dans un proche avenir et elle se demanda si elle aurait assez de force et de courage pour aller jusqu'au bout de sa folle entreprise. Elle sentait l'épaule de Patrice Kergoat qui frôlait la sienne. Elle dut combattre l'envie de s'y appuyer. Elle se dit que rien ne pouvait être plus rassurant qu'une épaule d'homme et que peut-être, en d'autres circonstances, elle aurait éprouvé quelque chose pour Patrice Kergoat. Tout ce qu'elle n'aimait pas en lui, cette ambition forcenée, cette soif de réussite à n'importe quel prix, pouvait s'anoblir sous l'effet miraculeux de l'amour. Après tout, Alain, lui aussi, l'avait quittée pour satisfaire ses ambitions et son immense orgueil. Pouvait-on changer les hommes et les mobiles qui les faisaient agir?

— Vous devez m'en vouloir, mademoiselle Crèvecœur, dit Patrice. Je me suis conduit tout à l'heure comme un goujat. Je ne sais pas ce qui m'a pris...

— N'en parlons plus, monsieur Kergoat, murmura Julie, tirée de ses réflexions. Félicien va vous déposer à votre porte? Où habitez-vous?

L'équipage s'engageait sur le boulevard des Italiens.

— A deux pas d'ici, dit le jeune homme, chaussée d'Antin. Mais si vous voulez me laisser là, je ferai le reste du trajet à pied. L'air de la nuit me fera le plus grand bien.

Julie Crèvecœur fit arrêter la berline. Patrice tourna vers la jeune fille son profil de rapace. Elle se demandait si elle allait le revoir, un jour, lorsqu'elle serait de retour du Mexique — si elle devait en revenir! — Patrice Kergoat serait alors au moins sous-directeur de la banque Gaspard. Sous l'effet de ce qu'elle avait vu et entendu ce soir, Julie, au fond de son cœur, avait acquis la conviction qu'elle quittait Paris et la France pour très longtemps, sinon pour toujours. Elle éprouva une émotion bizarre. Subitement, elle se pencha vers Patrice et l'embrassa sur la bouche. Un baiser presque chaste, sinon fraternel. Elle avait obéi à une impulsion inexplicable. C'était comme une bouffée de tendresse qui l'avait submergée pour cet inconnu qu'elle détestait encore il y a moins d'une heure.

— Je paie toujours mes dettes, monsieur Kergoat, dit-elle, justifiant de la sorte ce baiser qui laissa le jeune homme sans voix.

Patrice se reprit presque aussitôt, mais Julie l'empêcha d'aller au bout de ses intentions.

— Adieu, monsieur Kergoat, dit-elle en ouvrant la portière, le forçant presque à descendre de voiture.

Une demi-heure plus tard, l'attelage passa sous le porche de l'hôtel Gaspard, à Auteuil, et vint se ranger devant le perron. Au-dessus des frondaisons le ciel s'éclaircissait. Quelque part, on entendait un coq matinal. C'était la campagne.

Félicien tira sur les rênes, serra le frein, descendit de son siège et ouvrit la portière. Julie était recroquevillée dans un coin de la berline et dormait profondément.

Le cocher l'appela doucement.

— Mademoiselle, hé, mademoiselle Julie... Nous sommes arrivés!

Elle ouvrit un œil et se souleva à moitié.

— Que se passe-t-il?

Julie retrouva ses esprits en même temps que l'air vif du matin.

— Bonne nuit, Félicien. En dételant, jetez un coup d'œil sur la litière de Sultan...

— Comptez sur moi, mademoiselle Julie.

Lorsque Julie pénétra dans le hall, elle y découvrit Antoinette qui dormait dans un fauteuil avec sur ses genoux un exemplaire du *Roman d'un jeune homme pauvre*. Elle la réveilla.

— Pourquoi m'avoir attendue, Antoinette? Je t'avais pourtant dit que je rentrerais tard.

Antoinette ne dormait que d'un œil. Elle était aussitôt sur ses pieds, un peu confuse de s'être assoupie.

— J'ai attendu Mademoiselle, parce que j'avais quelque chose de très important à lui dire.

— Alors, dis-le vite, parce que je tombe de sommeil.

La femme de chambre attendait pour répondre d'avoir dégrafé la robe de sa maîtresse. Julie tomba littéralement sur son lit et ferma les yeux. Antoinette se tenait à son chevet, immobile.

— Voilà, dit-elle d'une voix oppressée. J'ai décidé de partir avec Mademoiselle!

D'un seul bond, Julie était debout.

— Quoi?

— J'ai décidé d'accompagner Mademoiselle, parce que, même aux Amériques, Mademoiselle aura besoin d'une femme de chambre!

Julie secoua la tête, accablée par une sorte de désespoir comique.

— Une femme de chambre!... Ma pauvre Antoinette, on voit bien que tu ne sais pas ce que c'est que le Mexique!

Ce n'est que lorsqu'elle fut seule que Julie se souvint du papier que Germain lui avait glissé au moment où ils quittaient les Folies Robert. Elle se releva, fouilla les poches de son manteau et finit par le trouver. Elle le déplia et lut ce qui suit :

J'ai un ami à Culiacan. Il s'appelle Don Miguel Estaban. Tout le monde le connaît là-bas. Allez le voir de ma part, s'il est encore en vie.

5

Dans la matinée, Julie donna congé au personnel. Elle avait prétexté une invitation chez la princesse

Mathilde pour leur accorder cette faveur. Vers 1 heure, les domestiques avaient déserté la demeure d'Auteuil où ne restait que le valet d'écurie qui s'occupait des bêtes et ne les quittait jamais. Sa présence ne pouvait en rien gêner Julie Crèvecœur, car c'était un simple d'esprit, brave cœur au demeurant. Il y avait aussi le jardinier qui habitait avec sa famille une maisonnette à l'autre bout de la propriété.

Julie avait revêtu la tenue qu'elle portait le soir où Alain était venu lui faire ses adieux : jupon de flanelle rouge, jupe noire et blouse en flanelle, de la même couleur que le jupon, la fameuse blouse « Garibaldi ». Dans son sac de voyage, elle n'avait entassé que l'indispensable, à savoir des objets de toilette, une tenue de rechange et l'écrin renfermant la croix de Malte du général Delatouche, son bien le plus précieux. Elle avait fixé à son jupon un petit sac de toile contenant près de dix-huit mille cinq cents francs. C'est ce qui lui restait en argent liquide après l'achat du billet Saint-Nazaire-la Vera Cruz. Ce pécule devait lui permettre, une fois débarquée sur le sol mexicain, de tout mettre en œuvre pour retrouver Alain. Un peso-or valait à peu près un franc-or. Mais depuis belle lurette, il n'y avait plus d'or au Mexique. Par contre, on pouvait y acheter avec le précieux métal des piastres à gogo, ces fameuses piastres dont parlait Germain aux Folies Robert! Avec son petit capital, Julie Crèvecœur pouvait faire figure de nabab en piastres et monnayer au besoin la liberté d'Alain, ainsi que la conscience de ses geôliers. Elle était pleine de courage et d'espoir, malgré tout ce que Germain lui avait appris et laissé entrevoir...

Lorsqu'elle passa le porche de l'hôtel Gaspard, elle avait relevé le capuchon de son carrick de voyage. Elle se hâtait sur les chemins déserts en priant le ciel de ne rencontrer aucune personne du voisinage. Mais le soir tombait et rien ne troublait le calme paysage d'Auteuil, sinon le gazouillis des oiseaux. Avant de partir, elle s'était rendue à l'écurie où Sultan l'avait accueillie avec des hennissements de plaisir, son sabot martelant la terre battue. Elle l'avait embrassé entre les naseaux et sous l'œil indifférent du valet qui mâchonnait une brindille d'herbe.

Sur le bureau de son tuteur, contre l'encrier de bronze, elle avait déposé une feuille pliée en quatre, bien en évidence. La première lettre qu'elle avait rédigée ne comportait qu'une simple phrase : *Monsieur, je m'en vais très loin, rejoindre l'homme que j'aime.* Puis, elle avait réfléchi et déchiré la lettre. Finalement, la lettre était ainsi conçue : *Monsieur, Mathilde Bonaparte m'ayant conviée chez elle, en son domaine de Saint-Gratien, j'aurais eu mauvaise grâce à décliner son invitation. Julie.* Le temps qu'il faudrait au banquier pour découvrir la vérité retarderait d'autant les efforts qu'il ne manquerait pas d'entreprendre pour retrouver sa pupille. Julie savait que Gaspard était un homme puissant qui ne reculerait devant aucune dépense pour la rattraper, car, s'il manquait singulièrement de sens moral, il avait celui du devoir. Sans parler de son intérêt. Or, si Julie, le jour de sa majorité, n'avait pas reparu vivante à Paris, qui pourrait toucher à sa fortune? La réponse, Julie la connaissait : personne! Les biens de Julie Crèvecœur, en son absence, seraient mis sous séquestre. Et cela, Julie en avait la certitude, n'arrangerait en rien les affaires de son tuteur.

Il y avait beaucoup de monde à l'embarcadère du chemin de fer Paris-Saint-Nazaire, gare Montparnasse. Surtout des militaires. Julie se sentit complètement perdue dans la foule, le bruit et la fumée. Elle imaginait Alain, quelques mois plus tôt, à cette même gare, en partance pour Brest, au milieu de ses camarades de régiment, plaisantant comme eux, ou faisant semblant. Presque tous les wagons étaient réquisitionnés pour l'armée et Julie dut longer tout le train avant de trouver une voiture réservée aux civils. Au bout du quai, il n'y avait que quelques rares voyageurs. C'était lugubre. Elle choisit un compartiment vide, y installa son léger bagage et, une fois assise, elle se rendit compte qu'elle était rompue de fatigue. Les événements de ces derniers jours défilèrent dans sa mémoire, depuis le moment où elle avait pris congé de son tuteur, sur le perron de la maison d'Auteuil, alors que le banquier allait se rendre à l'invitation de l'Empereur, au château de Compiègne.

Julie comptait les minutes qui la séparaient du départ. L'attente lui paraissait intolérable. Doutes et appréhensions l'assaillaient. N'allait-elle pas commettre une folie? Que connaissait-elle de la vie? N'avait-elle pas toujours été protégée, tant chez son tuteur que durant ses longues années de pension chez les demoiselles Beaujon? Protégée, préservée, son existence n'avait pas connu de heurts. La passion avait balayé le confort et secoué une torpeur dont elle n'avait pris conscience que le jour où elle s'était abandonnée pour la première fois entre les bras d'Alain. Mais qu'allait-elle chercher exactement au Mexique? Une ombre, un fantôme, un tombeau peut-être? Croyait-elle vraiment à la possibilité de retrouver le sous-lieutenant Delatouche du Douzième Chasseurs de France, porté disparu au fin fond du pays aztèque? L'attente était mauvaise conseillère. Les idées noires envahissaient l'esprit de Julie Crèvecœur, pareilles à ces écharpes de fumée qui enveloppaient l'embarcadère du chemin de fer.

C'est alors que Julie aperçut un feutre mou que n'aurait pas désavoué M. Gaspard : quelqu'un se hissa à l'extérieur, sur le marchepied du wagon, et poussa la porte du compartiment où Julie avait espéré rester seule durant la longue nuit qui se préparait. Le voyageur semblait venir en droite ligne du

Café Anglais. Un authentique boulevardier, arborant en guise de tenue de voyage une sorte de houppelande de cocher taillée dans un drap britannique à carreaux, dit prince de Galles. Il avait pour bagage un gros sac en cuir et une grande boîte noire qu'il manipulait avec un soin extrême. Julie reconnut un appareil photographique à plaques sensibles, d'un modèle perfectionné. Il retira son couvre-chef et s'inclina devant Julie :

— Mes hommages, mademoiselle...

Il avait une voix extrêmement agréable et toute sa personne respirait une gaieté que démentait l'atmosphère sombre de la gare Montparnasse. Sans parler du cours des réflexions de Julie Crèvecœur qui n'avaient rien de particulièrement réjouissant.

— Un billet de chemin de fer ressemble à un billet de loterie, remarqua le jeune homme tout en installant dans le filet son sac aux angles capricieux qui devait avoir bouclé son tour du monde, car il donnait toutes les apparences de cette fatigue distinguée qui était l'apanage des bagages de race.

Julie fut un peu surprise par cette remarque du nouvel arrivant.

— Je m'explique, poursuivit le jeune homme. En prenant votre billet, vous ne savez jamais d'avance avec qui vous allez voyager. Ce soir, je suis gagnant sur toute la ligne, car j'ai rarement eu le privilège de partager mon compartiment avec une personne aussi ravissante que vous.

Et là-dessus, ayant casé son appareil, il prit place sur la banquette, face à Julie, avec un sourire des plus engageants.

Julie fut prise de panique. Il n'était pas pensable qu'elle allait passer toute une nuit en chemin de fer, seule avec un individu, lequel visiblement appartenait à cette catégorie de jeunes gens acharnés à séduire tout ce qui portait jupon ou crinoline.

Elle se rappela subitement qu'il existait des compartiments pour dames seules. Comme elle n'avait jamais voyagé seule, jusqu'à ce jour, l'idée ne l'avait pas effleurée de les rechercher. A présent, elle s'en voulait de n'y avoir point pensé.

— Je suis passé devant le compartiment des dames à l'instant même, dit le jeune homme, et je comprends que vous l'ayez fui. Il y a là une assemblée de duègnes caquetantes et jacassantes qui vous auraient détaillée des pieds à la tête, assaillie de questions et tarabustée une bonne partie de la soirée... J'ai pour principe, moi aussi, d'éviter toutes les femmes au-dessus de trente ans!

— Vous avez tort, monsieur, ne put s'empêcher de répondre Julie. J'en connais de fascinantes...

— Alors, présentez-les-moi! dit le jeune homme à la houppelande dans un radieux sourire.

Il était aussi blond qu'Alain était brun et il n'avait pas plus de vingt-cinq ans. De toute manière, malgré ses airs conquérants et son élégance de Parisien à la page, il gardait sur sa figure une sorte d'émerveillement continuel, presque enfantin, qui plaisait beaucoup à Julie. « Voilà le genre de garçon », pensait-elle « qu'on aimerait avoir pour frère. » Malheureusement, le regard du jeune homme, rempli d'admiration sincère, n'avait rien de fraternel. Elle envisagea avec une inquiétude grandissante la longue nuit qui se préparait. Elle scruta le quai de la gare, espérant que d'autres voyageurs allaient monter dans le compartiment. Mais le quai était désert et le train ne tarderait sans doute pas à partir. Julie essaya de se faire la morale : si elle craignait déjà de voyager seule entre Paris et Saint-Nazaire en compagnie d'un inconnu, que serait-ce dans la diligence la Vera Cruz-Mexico, parmi les desperados de toutes sortes, parmi ces hommes qui vivaient, d'après Germain, comme s'ils allaient mourir à l'aube, sans foi ni loi?

Pour le moment, son vis-à-vis s'apprêtait à passer

une nuit aussi confortable que possible. Il devait avoir l'habitude des longs voyages, car il détacha de son sac un plaid qui s'y trouvait fixé par un jeu de courroies, en prévision sans doute d'une nuit qui risquait d'être fraîche. Julie admira ce sens pratique, car l'idée ne lui était même pas venue d'emporter une couverture de laine qui lui aurait pourtant rendu le plus grand service. Aussi se serra-t-elle dans son carrick dont elle avait remonté le capuchon. Au moment où la locomotive libéra un long jet de vapeur accompagné d'un sifflement aigu, Julie ferma les yeux, gagnée par une émotion intense : c'était le départ. Son compagnon avait tranquillement déplié l'un des nombreux journaux qu'il avait sortis de ses poches. Julie supposa qu'il était blasé au point de ne plus ressentir la moindre émotion lorsque le chemin de fer l'emmenait loin de ce qui devait être sa vie de tous les jours. Il lisait son journal avec un soin extrême. C'était *Le Siècle*. Un titre grassement imprimé attira l'attention de Julie : *LEE CAPITULE*. Dans un mouvement spontané, Julie se pencha en avant pour déchiffrer les caractères d'imprimerie encore humides : *Une dépêche de Washington nous apprend que le général Lee, commandant en chef de l'armée de Nord Virginie, vient de se rendre au général Grant. Le texte de la capitulation des Confédérés a été signé le 9 avril à Appomatox House, Virginie.*

— Je vous en prie, mademoiselle, dit le voyageur, en tendant son journal à Julie qui ne sut plus où se mettre. Il est rare que les jeune filles s'intéressent aux événements politiques, ajouta-t-il.

— Certains événements nous concernent tous, même s'ils se déroulent à l'autre bout du monde, murmura Julie, en se penchant sur *Le Siècle*.

Elle savait que son interlocuteur l'observait avec une intense curiosité, mais peu lui importait.

— Vous avez parfaitement raison, dit le jeune

homme. D'ailleurs, je suis impardonnable, car je ne me suis même pas encore présenté : je m'appelle Raoul de Saint-Cerre et je suis attaché à la rédaction du journal que vous êtes en train de lire.

Julie leva la tête, puis se replongea dans sa lecture. La fin de la guerre de Sécession, qui venait de déchirer l'Amérique pendant quatre années, risquait d'influer sur l'issue de la campagne mexicaine. La capitulation des Etats du Sud signifiait, en effet, que les Etats-Unis, qui soutenaient Juarez contre l'empereur Maximilien et son allié français, allaient pouvoir augmenter dans des proportions considérables l'aide qu'ils apportaient à la cause des « rebelles » mexicains. Julie se souvint des paroles de Germain qui prophétisait le réembarquement prochain du corps expéditionnaire français. Le garçon globe-trotter n'avait vu que trop juste. Si les Français quittaient le Mexique, qu'allait-il advenir de ceux qui restaient prisonniers de Juarez? Julie essayait de dissimuler son trouble aux yeux du journaliste.

— Vous avez peut-être de la famille aux Etats-Unis? demanda celui-ci.

Julie allait répondre non, puis elle se ravisa.

— En effet, murmura-t-elle.

— Serait-il indiscret de vous demander si vos parents se trouvent du côté des vainqueurs?

Julie ne s'attendait pas à une question aussi précise. Il fallait pourtant y répondre.

— Non, dit-elle au hasard. Hélas, non.

Julie eut conscience que son attitude et le mensonge qu'elle venait de proférer devaient éveiller au plus haut point l'intérêt d'un homme dont le métier consistait précisément à satisfaire en permanence sa curiosité et celle de ses lecteurs.

— J'aurais dû m'en douter, dit Raoul de Saint-Cerre, car, physiquement, vous évoquez parfaitement une de ces fières silhouettes féminines de Georgie ou

154

de Caroline du Sud. Je vous vois très bien à Atlanta, sous le porche d'une grande maison à colonnades blanches, entourée de lévriers et d'une nuée d'esclaves de couleur.

Julie se mordit la lèvre : voilà ce qui arrivait lorsqu'on disait n'importe quoi aux gens!

— Je suis française, monsieur, et parisienne, dit-elle un peu sèchement. Et vous ne me verrez jamais entourée d'une nuée d'esclaves de couleur pour la bonne raison que je suis contre l'esclavage et que j'applaudis à la victoire des Etats du Nord qui représentent à mes yeux le progrès et la liberté.

D'abord abasourdi, le journaliste éclata finalement d'un rire joyeux et juvénile.

— Magnifique! s'exclama-t-il. Nous avons exactement les mêmes idées! Puis-je vous demander jusqu'où j'aurai le plaisir de partager ce compartiment avec vous?

— Jusqu'à Saint-Nazaire, répliqua Julie à contre-cœur.

— C'est merveilleux. Non seulement nous avons les mêmes idées, mais nous nous rendons aussi au même endroit!

Julie pensa que la meilleure manière de couper court aux traits d'esprit du reporter, c'était de faire semblant de dormir. Elle lui rendit donc son journal, s'enfonça dans son coin et ferma les yeux. M. de Saint-Cerre respecta son désir de repos. Non seulement il se tut, mais il fit en sorte de faire le moins de bruit possible chaque fois qu'il pliait les pages des quotidiens qu'il parcourait à tour de rôle. Ensuite, il baissa au maximum l'éclairage au gaz qui fournissait aux voyageurs une lumière à vrai dire plutôt chiche. Julie lui fut reconnaissante de se conduire avec tant de courtoisie. Ce Raoul de Saint-Cerre, malgré sa curiosité dangereuse, était somme toute un agréable compagnon de voyage. Bercée par le roulis du chemin de fer, Julie Crèvecœur, qui croyait ne pas fermer l'œil de la nuit, fut prise à son propre jeu et s'endormit épuisée par les émotions de ces derniers jours. Sa robuste santé eut raison de son angoisse devant un avenir où l'espoir était pareil à cette flamme minuscule et vacillante qui ne fut bientôt plus qu'un vague point lumineux dans le compartiment que l'obscurité avait envahi.

Des heures plus tard, Julie eut la sensation d'une main qui la frôlait. Son sommeil étant léger, elle essaya de reprendre conscience, lutta désespérément pour s'arracher à cette sorte d'engourdissement qui ressemble parfois à une paralysie, n'y réussit qu'à moitié et pensa qu'elle était en train de rêver qu'un homme était penché sur elle. Julie eut un geste qui lui était habituel la nuit : celui qui consistait à tirer jusqu'au menton la couverture qui avait glissé. Elle accomplit ce geste et sentit effectivement sous ses doigts un tissu doux et moelleux. Alors elle se réveilla et constata que c'était le plaid de M. Raoul de Saint-Cerre. Celui-ci était assis en face d'elle, immobile, comme s'il veillait sur son sommeil. A n'en pas douter, il avait eu ce geste charmant d'étendre sur elle sa couverture de voyage... Julie eut honte en pensant aux craintes qu'elle avait d'abord éprouvées à se trouver seule dans un compartiment avec ce jeune homme qui l'avait regardée avec un œil si gourmand qu'on aurait pu craindre le pire. Comme quoi il ne fallait jamais juger les gens sur la lueur coquine qu'ils pouvaient avoir au coin de l'œil...

Julie se rendormit, profondément cette fois, et ne se réveilla qu'au petit matin, lorsqu'une voix d'homme, près de son oreille, l'appela doucement d'abord, puis avec insistance :

— Mademoiselle... Mademoiselle... réveillez-vous, voyons... Nous allons arriver...

Julie se croyait vraiment dans son lit. Elle ouvrait un œil, puis l'autre, surprise de voir la figure sympathique d'un jeune homme et non pas la bonne tête ronde d'Antoinette portant à bout de bras le plateau du petit déjeuner.

— Mademoiselle, s'il vous plaît, faites un petit effort et ouvrez les yeux complètement... Remarquez, vous serez déçue, car il fait un temps de chien...

Julie s'étira, poussa quelques soupirs pendant que son compagnon de voyage défaisait son sac en cuir. Sous le regard ahuri de la jeune fille, il en sortit un curieux flacon métallique enrobé de tissu, deux gobelets d'argent et une boîte en laque noire incrustée de nacre. Sans craindre le moins du monde le ridicule, le reporter couvrit d'une serviette damassée blanche la partie libre de sa banquette. Il y posa le flacon, les gobelets, la boîte, puis il frappa dans ses mains.

— Le petit déjeuner est servi, annonça-t-il du ton cérémonieux des domestiques bien stylés.

Avec des gestes de magicien, il déboucha le flacon d'où s'échappèrent de la fumée et une délicieuse odeur de café! Julie Crèvecœur n'en revenait pas.

— Où... où avez-vous trouvé du café chaud dans ce train?

Elle était tout à fait réveillée.

— Ce café a été confectionné hier après-midi par mon valet de chambre, expliqua Raoul de Saint-Cerre. La bouteille que voici me l'a conservé brûlant jusqu'à ce matin. Comme beaucoup d'inventions géniales, celle-ci nous vient de la sauvage Amérique.

Il ouvrit la petite boîte où s'emboîtaient artistiquement quelques croissants aux amandes.

— Rumpelmayer! annonça le journaliste. Pâtisserie délicieusement française, malgré son nom à consonance germanique.

Julie avait rarement fait un petit déjeuner aussi insolite.

— Mademoiselle, lui dit son compagnon, j'ai déjà vu dans ma vie un certain nombre de dames surprises au réveil. Le spectacle m'a presque toujours déçu. Telle qui était toute rose au soir, se révéla terreuse à l'aube. Telle autre qui était d'une folle gaieté à minuit, se montra mortellement triste à 9 heures du matin. Quant à vous, vous êtes belle dans le sommeil et belle au réveil. Il n'y a absolument aucune différence. Un vrai miracle! Si j'avais pu installer mon trépied, je vous aurais volontiers photographiée!

— Cessez de dire n'importe quoi, monsieur, dit Julie, et buvez votre café. Il va être froid.

La locomotive siffla. Le train ralentissait.

— Vous ne m'avez même pas dit ce que vous alliez faire à Saint-Nazaire, dit le journaliste.

— Je... je ne vais pas à Saint-Nazaire, bredouilla Julie.

— Et où allez-vous exactement?

Décidément, sa curiosité était insatiable. Julie se souvint d'avoir entendu Théophile Gautier, chez la princesse Mathilde, mentionner un village de pêcheurs situé sur le bord de l'océan, non loin de Saint-Nazaire.

— A... à Saint-Brévin, dit Julie. J'y ai de la famille.

Raoul de Saint-Cerre sourit.

— Ma parole, vous avez de la famille un peu partout.

Julie, qui était seule au monde, trouva un goût amer à cette réflexion.

— C'est... c'est une de mes tantes. Elle est veuve d'un capitaine au long cours et... elle est très malade.

— Je suis désolé, dit le journaliste en rebouchant sa drôle de bouteille métallique. J'espère qu'à votre vue elle guérira.

Le train s'arrêta tout à fait.

On entendait une voix sur le quai qui criait : « Saint-Nazaire! »

Julie n'avait qu'une hâte : rejoindre le bassin où devait se trouver l'*Age d'or* à l'ancre, prêt à recevoir dans ses flancs la foule des passagers en partance pour le Mexique. Elle espérait bien se perdre parmi eux jusqu'au départ du paquebot prévu, d'après la Société des Affréteurs, pour la matinée. Le reporter du *Siècle* avait saisi le bagage de Julie et ouvert la portière du compartiment. Une brise vivifiante à goût de sel s'engouffra dans le wagon.

— Permettez que je vous aide, s'écria Raoul de Saint-Cerre qui venait de sauter sur le quai où Julie le rejoignit.

Elle prit son sac d'une main et tendit l'autre au journaliste.

— Merci, monsieur. Vous avez été fort aimable et prévenant. Désormais, je lirai tous vos articles, je vous le promets.

Le jeune homme retint la main de Julie dans la sienne.

— Je vous trouve bien pressée, mademoiselle... Au fait, je ne connais même pas votre nom.

Cela devait arriver. Il est vrai que passer ensemble une nuit en chemin de fer, face à face dans un compartiment, cela créait une sorte d'intimité.

— Je n'en vois pas l'utilité, monsieur, puisque nous ne nous reverrons de notre vie.

— Qu'est-ce que vous en savez?

Julie le regarda.

— Je le sais, dit-elle avec fermeté. Adieu, monsieur de Saint-Cerre... Merci pour le plaid, merci pour le café, merci pour tout!

Elle se détourna et s'en alla d'un pas rapide, espérant de tout cœur qu'il n'aurait pas le mauvais goût de la suivre. Il avait été parfait jusque-là. Devant la gare, attendait une voiture de remise, sous une pluie battante. Julie fit signe au cocher. Une fois installée, elle risqua un coup d'œil par la vitre dont il lui fallut d'abord du doigt effacer la buée : elle fut soulagée en constatant que le journaliste restait invisible. Elle se laissa tomber contre le dossier de la banquette comme quelqu'un qui viendrait d'accomplir la première partie d'un projet ambitieux.

— Conduisez-moi au paquebot l'*Age d'or*! lança-t-elle au cocher.

— L'*Age d'or*? Celui qui fait la ligne du Mexique? Mais il est mouillé au large.

— Au large? fit Julie, interdite.

— Ben oui, ma p'tite dame. Il est tellement gros qu'il ne peut entrer dans aucun port!

Julie s'impatienta.

— Que dois-je faire alors? Embarquer à la nage?

Le cocher encouragea son cheval d'un « hoo » paresseux.

— Je vais vous conduire jusqu'au quai...

— En quoi cela m'avancera-t-il? questionna Julie.

Le cocher hocha la tête comme pour excuser l'ignorance de la « Parisienne. »

— On voit bien qu'à Paris vous n'êtes pas très au courant des choses de la mer. Quand ce sera le moment, le vapeur viendra chercher les passagers pour l'embarquement.

Julie n'en crut pas ses oreilles.

— Alors, il faut attendre le paquebot comme si c'était l'omnibus Madeleine-Bastille? s'écria-t-elle, pleine d'appréhension.

— C'est l'usage. Ça permet à ceux qui s'en vont d'embrasser ceux qui restent.

Julie entendit vaguement, au loin, des relents de musique. Elle reconnut un air de *La Belle Hélène*.

— Ça, dit le cocher, c'est la musique militaire.

Le cheval, qui devait aimer Offenbach, accéléra la cadence.

— La musique militaire? s'étonna Julie.

— Ben oui. Pour les Autrichiens. Ils vont là-bas, au

Mexique, histoire de relever nos troupes à nous. C'est un peu normal, après tout, puisque l'empereur du Mexique est lui-même autrichien! C'est nous qui l'avons mis sur son trône, d'accord, mais que ses compatriotes se débrouillent pour qu'il y reste!

Julie se demanda si le jour où Alain s'était embarqué pour la Vera Cruz on jouait aussi des airs d'opérette au pied du paquebot...

— C'est drôle, la guerre, disait le vieux cocher : au départ, on vous joue des mazurkas et, au retour, des marches funèbres!

Le fiacre déposa Julie aux abords d'une foule déjà nombreuse, malgré l'heure matinale. Il y avait là des militaires français, mais il y avait surtout des Autrichiens en grand nombre, des hussards empanachés, traînant leurs sabres, avec des regards en coin pour les filles de la ville venues assister à l'appareillage du paquebot.

Les troupes se formèrent en carré derrière leurs officiers. L'orchestre jouait à présent une marche militaire. Dans toute cette agitation, les quelques voyageurs civils semblaient un peu perdus. Il y eut un remous. Quelqu'un, près de Julie, disait à son voisin :

— Ah! voilà le général.

Un général! C'était donc lui qu'on attendait dans la foule.

— Il est venu tout exprès de Paris pour saluer les troupes avant le départ, poursuivait l'homme qui semblait si bien informé.

Les sergents de ville firent reculer les gens pour laisser le passage libre à une calèche où avaient pris place, autour du général, un personnage civil et deux aides de camp.

Julie, qui se trouvait au premier rang, se détourna vivement comme si elle venait d'apercevoir le diable en personne. Son émotion était d'autant plus compréhensible que le général, qui était en train de saluer à droite et à gauche, n'était autre que Du Barail! Le colonel Du Barail, dont elle allait occuper la cabine à bord de l'*Age d'or*, l'envoyé spécial de Bazaine auprès de l'Empereur et qui avait dû être promu général depuis quelques jours seulement!

Elle se demandait si l'ami de la princesse Mathilde ne l'avait pas vue... En effet, le général se retourna plusieurs fois sur le groupe des passagers civils, alors que son équipage venait de les dépasser pour se ranger face au gros du bataillon autrichien qui présentait les armes. Il était tout de même étrange, se disait Julie, que depuis le jour où Mathilde lui avait fait connaître celui qui n'était alors que colonel du Douzième Chasseurs, elle l'eût retrouvé par deux fois sur sa route. Elle imagina Du Barail, de retour à Paris, mis au courant de la disparition de Julie Crèvecœur, se décidant à rendre visite à M. Gaspard pour lui dire qu'il avait rencontré la jeune fille tant à la Société des Affréteurs que sur le quai d'embarquement de l'*Age d'or*. En moins d'une heure, le banquier reconstituerait les détails de la fugue de sa pupille. Auquel cas, il y aurait de fortes chances pour qu'en posant le pied sur le sol mexicain Julie Crèvecœur se voie prise en charge par un représentant officiel du gouvernement impérial, lequel, prévenu par le moyen du télégraphe, la réembarquerait aussitôt à destination de la France...

La foule se porta vers le bout de la jetée où le général passait en revue les troupes. Julie fut entraînée malgré elle. Elle remonta le capuchon de son carrick afin de dissimuler son visage et suivit les autres voyageurs que précédait un employé de la compagnie de navigation qui affrétait l'*Age d'or*.

— Les passagers de première classe, s'il vous plaît?

Julie se joignit au groupe entourant l'homme de la Société des Affréteurs qui fut aussitôt mitraillé de questions concernant l'heure de l'embarquement, le transbordement des bagages et les prévisions météo-

162

rologiques. L'employé fit de son mieux pour répondre à tout le monde en même temps, au moment où une voiture de louage, venue de l'autre bout du quai, s'arrêta non loin du général. Lorsque Julie aperçut une certaine houppelande à dessins prince de Galles, elle s'arrêta de respirer. Raoul de Saint-Cerre, encore lui! Le journaliste sauta prestement à terre, confia son sac de voyage et son appareil photographique au cocher et se dirigea vers le groupe de personnalités. Là, il s'adressa à l'un des aides de camp du général qui le mena, après une brève hésitation, jusqu'à Du Barail qui lui serra la main. Julie vit le jeune homme sortir des poches de son manteau un calepin et un crayon. Il posait des questions au général et notait soigneusement les réponses. La jeune fille n'aspirait qu'à une chose : monter au plus vite à bord du paquebot, car la terre de France lui brûlait sous les semelles. Entre un général qui la connaissait fort bien et un reporter qui ne demandait qu'à mieux la connaître, elle se trouvait dans une position des plus inconfortables, et des plus dangereuses pour une jeune personne qui avait menti sur son âge aux gens de la compagnie de navigation, leur avait donné un faux nom et se trouvait sur le point de fausser compagnie à son tuteur pour aller rechercher au cœur du Mexique un militaire du corps expéditionnaire français dont le nom figurait sur la liste des prisonniers tombés aux mains de Juarez!

Raoul de Saint-Cerre, ayant replié son calepin, salua le général avant d'aller rejoindre la voiture qui l'attendait. Il y prit ses affaires puis se dirigea vers le groupe formé par les passagers de l'*Age d'or*. Julie ne s'attendait guère à cela et connut un instant de panique : il ne fallait à aucun prix que le journaliste la trouvât parmi les gens en partance pour le *Nouveau Monde*.

Elle marcha droit devant elle, dans la direction opposée, se frayant un passage parmi les badauds et les montagnes de colis, de caisses et de malles.

— Mademoiselle!... Mademoiselle!

La voix du journaliste.

Julie pressa le pas, essaya de se perdre dans la foule. Mais le jeune homme l'avait déjà rejointe.

— Ma parole, on dirait que vous me fuyez!

Julie joua la surprise.

— Pas du tout, monsieur. Mais j'ai eu le tort de... de me laisser aller à mon faible pour les uniformes et de vouloir jouer les flâneuses sur le port. Bien entendu, je... je me suis mise en retard et... Eh bien, encore une fois : adieu, monsieur. On m'attend à... à Saint-Brévin.

Le jeune homme, cette fois, ne semblait pas vouloir lâcher prise. Il avait une façon de regarder Julie avec une sorte d'incrédulité qui ne disait rien qui vaille à la jeune fille.

— Ce n'est pas ce général Du Barail que j'aurais dû interviewer, mais vous! Quelque chose me dit que vous auriez des événements captivants à raconter si vous n'étiez pas si terriblement méfiante.

— Je ne suis pas méfiante, monsieur, mais seulement très pressée! répliqua Julie qui chercha comment se débarrasser de lui et ne trouva rien. (Elle savait seulement qu'il fallait coûte que coûte embarquer à l'insu du général.)

— Alors, permettez-moi de vous faire un brin de conduite. Je ne suis pas pressé du tout, moi... Je suis ici encore pour une bonne partie de la matinée.

Comment s'en débarrasser?

— Monsieur de Saint-Cerre, lui dit Julie d'une voix tremblante d'émotion, vous m'avez paru pendant ce voyage en chemin de fer un homme délicat et bien élevé. Si vous avez tant soit peu de sympathie pour moi, allez à vos affaires et oubliez notre rencontre. Vous... vous me rendriez un immense service.

164

Le jeune homme parut fort impressionné par l'extraordinaire accent de sincérité et de désespoir qui perçait derrière les paroles de Julie Crèvecœur. Il était sur le point de lui répondre, lorsqu'un lieutenant de Chasseurs, véritable géant, surgit près d'eux. Il salua, s'inclina devant Julie et lui dit d'une voix martiale :

— Que Mademoiselle veuille bien m'excuser, mais le général Du Barail serait heureux de saluer Mlle Crèvecœur et de lui présenter sa suite.

C'était la catastrophe.

Raoul de Saint-Cerre avait les yeux brillants de curiosité. Il semblait prêt à ressortir son calepin.

— Je ne comprends pas, dit Julie, retrouvant comme par miracle tout son sang-froid. Je suis très flattée par l'intérêt que me porte votre général, mais je n'ai malheureusement pas le plaisir de le connaître.

— Vous... vous n'êtes pas Mlle Julie Crèvecœur, bredouilla l'officier qui paraissait, et pour cause, sûr de son affaire.

— Absolument pas, répliqua Julie. Votre général est victime de... d'une ressemblance peut-être. Veuillez lui dire que je suis d'autant plus désolée que je lui trouve fort belle allure.

— Que Mademoiselle m'excuse, dit le lieutenant en faisant sonner ses éperons avant de tourner casaque.

Le reporter du *Siècle* avait écouté cette conversation sans en perdre une miette. Julie se sentit de toutes parts menacée. Du Barail, comprenant que la petite protégée de la princesse Mathilde allait s'embarquer à bord de l'*Age d'or*, était parfaitement capable de s'y opposer. Julie se voyait déjà ramenée à Auteuil entre deux gendarmes.

— J'ai tout de même fini par connaître votre nom, murmura Raoul de Saint-Cerre. (L'aplomb avec lequel Julie avait répondu au lieutenant de Chasseurs ne semblait pas avoir convaincu le journaliste.)

— Monsieur, dit Julie très vite, il ne faut à aucun prix que je me trouve en présence du colonel... je veux dire du général Du Barail.

— J'avais très bien compris, dit le journaliste.

— J'ai... j'ai mon passage retenu à bord d'un paquebot mouillé au grand bassin...

Le jeune homme roula des yeux étonnés. Il était l'image même de la candeur.

— L'*Age d'or*? Mais alors... mais alors, votre pauvre tante n'est donc plus malade, à Saint-Brévin?

Julie le foudroya du regard.

— Croyez bien, monsieur, que vous choisissez mal votre moment pour m'accabler de sarcasmes. Croyez-vous qu'il soit possible d'embarquer avant les autres passagers?

— Tout de suite? demanda le reporter, éberlué.

— A la minute même, dit Julie.

Il se dessinait un mouvement parmi les badauds. En effet, le général, flanqué de son aide de camp, fendait la foule, se dirigeant vers l'endroit où le lieutenant s'était entretenu avec Julie. Rapide comme l'éclair, Raoul de Saint-Cerre tira la jeune fille derrière un amoncellement de caisses et de colis.

— Un obstiné ce Du Barail, chuchota-t-il. Quand il a une idée en tête, il n'en démord pas... Serait-il amoureux de vous?

— Vous êtes fou! dit Julie d'une voix à peine audible.

Mais elle regretta aussitôt ces paroles. Il aurait été adroit de faire croire au journaliste à quelque intrigue bien parisienne. De toute manière, s'il devait parler d'elle dans son journal, Julie voguerait vers le Mexique à l'heure où celui-ci paraîtrait. A ce moment-là, Julie se moquerait bien de ce qu'aurait écrit ce garçon à son sujet dans quelque arrière-salle de café, boulevard des Italiens.

Derrière eux se dressait une sorte de cabane où flottait un drapeau : la douane.

— Ne vous faites pas d'illusions, souffla le journaliste. Il faut une autorisation spéciale du capitaine pour monter à bord d'un paquebot avant l'heure prévue...

— Alors, je suis perdue, dit Julie.

Le jeune homme parut vivement impressionné par ce qu'il y avait de vrai désespoir derrière ces simples mots.

Du Barail passait tout près d'eux, sans les voir. Mais on l'entendait discuter avec son officier d'ordonnance.

— ... et moi, je vous dis que c'était elle!

— Elle m'a pourtant certifié qu'il s'agissait d'une erreur de personne, mon général. Pourquoi cette jeune fille aurait-elle menti?

— C'est ce que je voudrais précisément savoir, mon garçon, rétorqua le général. Son Altesse impériale, la princesse Mathilde Bonaparte, ne sera pas la moins surprise lorsque je lui raconterai cette rencontre inattendue dans les bassins du port de Saint-Nazaire...

Julie Crèvecœur, accroupie derrière une caisse frappée de l'aigle autrichien, sentait peser sur elle le regard rempli de curiosité du reporter.

— Vous mentez avec une aisance surprenante, murmura-t-il.

— Taisez-vous donc, pour l'amour du ciel!

Le général alla plus loin, suivi de son aide de camp. Le danger immédiat semblait écarté, mais Julie ne se faisait aucune illusion. Quand Du Barail avait une idée en tête...

Raoul de Saint-Cerre l'aida à se relever.

— Pourtant, dans votre sommeil, dit-il, vous êtes l'image même de la pureté. Dommage que je n'aie pas saisi le sens des paroles que vous murmuriez cette nuit, en dormant...

Julie cessa de respirer.

— J'ai... j'ai parlé en dormant?

— Vous tourniez la tête de droite à gauche et de gauche à droite. L'obscurité m'empêchait de lire sur vos lèvres les mots que vous chuchotiez. Mais j'aurais parié qu'il s'agissait de mots d'amour.

Julie haussa les épaules et détourna la tête pour cacher sa confusion.

— Vous êtes stupide, dit-elle. Vous parlez comme vous devez écrire dans les journaux!

— Détrompez-vous, fit Raoul. Je n'écris que des articles de politique étrangère et des récits de voyages. D'ailleurs, *Le Siècle* est un journal sérieux : on n'y parle jamais d'amour! A moins qu'il ne s'agisse de crimes passionnels. J'ose espérer que vous n'avez tué personne?

Malgré l'angoisse qui l'étreignait, Julie ne put s'empêcher de répliquer vertement à cette insolence.

— Pas encore, dit-elle, mais cela ne saurait tarder!

Le journaliste ne paraissait nullement touché par cette attaque directe.

— Mourir de votre main, dit-il, quel bonheur! En attendant, vous voyez bien que je suis sous le charme. Que puis-je faire pour vous?

— M'aider à embarquer à bord de l'*Age d'or*. Ma reconnaissance vous sera acquise pour les temps à venir!

Raoul de Saint-Cerre redevint sérieux.

— Essayons de rejoindre le grand bassin, suggéra-t-il. En passant du côté des bâtiments de la douane, nous éviterons toute rencontre désagréable. Après tout, le général n'est pas seulement venu à Saint-Nazaire pour courir après une belle inconnue...

Grâce aux ponts tournants, ils atteignirent rapidement et sans encombre le bassin où chauffait le petit vapeur affecté au service de l'*Age d'or*. Avec cette assurance inimitable qui le caractérisait, Raoul de Saint-Cerre installa Julie sur le pont encombré par toutes sortes de gens appartenant soit à la Société des Affréteurs, soit à l'équipage du navire, qui dressait sa masse imposante à trois milles par le travers. Julie s'attendait à tout instant à ce que quelque officier galonné d'or ne vienne leur demander ce qu'ils étaient venus faire là, mais personne ne se préoccupa d'eux. Comme quoi, se disait Julie, l'audace était toujours payante!

Au bout d'un quart d'heure d'attente, le *tender* largua ses amarres et se dirigea à grande vitesse vers le large. Jamais encore Julie n'avait eu l'occasion de voir de si près un paquebot de l'importance de l'*Age d'or*, dont le petit vapeur se rapprochait à toute allure. Les charbonniers accostés à ses flancs et qui ravitaillaient le navire en houille avaient l'air de fragiles jouets à côté du mastodonte. Raoul de Saint-Cerre ne paraissait nullement impressionné et Julie faisait de son mieux pour l'imiter et elle y parvenait sans grand mal, car aucun spectacle, si extraordinaire fût-il, n'aurait été capable de la distraire en ce moment des pensées qui l'obsédaient. Elle était terrifiée à l'idée qu'un obstacle de dernière heure pourrait l'empêcher de partir...

Le vapeur passa sous l'étrave du paquebot dont les chaînes se tendaient en gémissant sous la poussée des flots. Rangeant l'*Age d'or* à bâbord, il stoppa au bas du vaste escalier qui serpentait sur les flancs du navire. Un marin en défendait l'accès. Raoul de Saint-Cerre parlementa quelques instants, puis se tourna vers Julie :

— Attendez-moi là.

Il gravit quatre à quatre les marches de fer cannelées et, quelques instants plus tard, franchit la coupée du navire où un officier de l'équipage, fort élégant dans son uniforme bleu galonné d'or, le prit en charge. Restée sur le pont du vapeur, Julie contempla les roues monumentales du paquebot, comme un touriste regardant un édifice élevé. La longueur de leurs pales était au moins de quatre mètres et Julie imagina un instant avec quelle prodigieuse vigueur elles devaient battre les flots. Chaque tour de roue éloignerait la jeune fille de l'Europe et la rapprocherait de son amant. Encore quelques heures d'attente et l'*Age d'or* marcherait à toute vapeur sous la poussée de ces roues dont Julie Crèvecœur ne parvint pas à détacher son regard, tant elles la fascinaient.

Quelqu'un descendait l'escalier de bâbord. C'était un steward en veste blanche marquée aux initiales de la Société des Affréteurs.

— Si Madame veut bien me suivre, dit-il à l'adresse de Julie.

Ainsi, Raoul de Saint-Cerre avait réussi à la faire admettre à bord! Julie éprouva un immense soulagement et elle se sentait éperdue de reconnaissance pour ce jeune homme que la providence semblait lui avoir délégué au départ de Paris. Une sorte d'ange gardien déguisé en reporter. Julie se demanda comment il s'y était pris pour obtenir cette faveur, car il ne savait même pas sous quel nom elle était inscrite sur la liste des passagers.

En franchissant la coupée, Julie fut surprise de voir le steward la précéder sans lui avoir posé la moindre question. Comment cet homme pouvait-il connaître le numéro de sa cabine? Sans chercher à approfondir ce petit mystère, Julie longea le boulevard de tribord. En levant la tête, elle aperçut à peine le sommet des mâts qui se perdait dans le brouillard. Elle dépassa la grande écoutille de la machine à roues, admira une sorte de « petit hôtel » sur sa gauche et plus loin la façade majestueuse d'un véritable palais surmonté d'une terrasse. Partout régnait une activité fébrile : on fourbissait, briquait, astiquait, polissait. C'étaient les ultimes préparatifs qui précédaient le départ de cette ville flottante.

Le steward s'engagea sur un escalier conduisant dans les entrailles du navire. Julie se serait crue dans un de ces palaces où descendait M. Gaspard lorsqu'il se rendait avec sa pupille à Biarritz. Un couloir interminable où l'on enfonçait dans un tapis épais qui étouffait le bruit des pas. Les portes numérotées des cabines de part et d'autre. Julie faillit faire remarquer au steward que cette série ne correspondait nullement au numéro porté sur son billet. Mais elle préféra se taire, trop heureuse de se sentir ici à l'abri de toute surprise. Elle voyait mal le général Du Barail visiter de fond en comble l'*Age d'or* pour y découvrir Mlle Julie Crèvecœur!

Le steward s'arrêta enfin devant une porte.

— Nous prendrons bien soin de monsieur votre mari pendant la traversée, dit-il après avoir frappé.

Julie crut avoir mal entendu. Elle allait répondre lorsque la porte s'ouvrit sur Raoul de Saint-Cerre dont le visage s'éclaira d'un sourire radieux lorsqu'il découvrit Julie.

— Vous voici, ma chérie!

Il avait glissé une pièce au steward qui s'était effacé aussitôt. Avant que Julie ait pu réaliser ce qui lui arrivait, la porte de la cabine s'était refermée.

Le journaliste éclata de ce rire presque enfantin qui avait déjà frappé Julie pendant le voyage de Paris à Saint-Nazaire. Il se tenait debout au milieu de la petite chambre éclairée par deux larges hublots, meublée d'une couchette, d'une toilette et d'un canapé sur lequel le jeune homme avait jeté sa houppelande et son chapeau. Julie essayait de comprendre...

— Ne faites pas cette tête-là! Vous transformer en Mme de Saint-Cerre, c'est tout ce que j'ai trouvé pour obtenir l'autorisation de vous faire monter à bord! J'ai dit que ma tendre épouse était venue m'accompagner à Saint-Nazaire et que, malgré mes obligations professionnelles, je trouvais cruel de la laisser à quai pendant qu'on me faisait visiter l'un des plus grands steamships du monde. Et me voici obligé d'écrire un article à la gloire de l'*Age d'or*, de son capitaine et de la Société des Affréteurs! Et tout cela parce que vous avez les plus beaux yeux de la terre! Des yeux qui me regardent en ce moment d'une curieuse façon...

Julie ne put qu'admirer son astuce.

— Dites-moi seulement ce que vous faites dans cette cabine, monsieur de Saint-Cerre...

Le journaliste baissa la tête pour cacher son envie de rire.

— J'ai peut-être oublié de vous préciser que mon directeur, M. Havet, m'envoyait à Mexico, au château de Chapultepec, pour y interviewer et photographier l'empereur Maximilien et l'impératrice Charlotte. Mon directeur n'étant pas un sauvage, il m'a retenu la cabine que voici à bord de l'*Age d'or* pour y reposer, le soir venu, mon front lourd de toutes les idées saugrenues qui l'habitent.

Julie resta sans-voix.

— Je dois vous dire aussi, poursuivit Raoul, que je ne suis pas marié et que vous redeviendrez Julie Crèvecœur tout à l'heure, lorsque le paquebot aura fait son plein de passagers. A ce moment-là, votre soupirant, le général Du Barail, sera reparti pour Paris depuis longtemps et vous n'aurez plus rien à craindre de lui. Il vous suffira alors de présenter votre billet et d'aller vous enfermer dans votre cabine.

Un petit silence.

— ... Dans votre cabine d'où vous ne sortirez que pour dîner avec votre bon ange, Raoul de Saint-Cerre du *Siècle*!

Julie le regarda bien en face.

— A moi de vous fournir une précision qui a son importance, monsieur de Saint-Cerre : je ne m'appelle pas Crèvecœur, mais Delatouche. Mme Alain Delatouche.

On frappa alors discrètement à la porte de la cabine.

— L'officier en second vient me chercher pour la visite, murmura le journaliste. M'accompagnerez-vous, madame Delatouche? Le capitaine est un homme charmant...

Julie fit violemment « non » de la tête.

— Vous n'y pensez pas! Que dirait le capitaine auquel vous me présenterez comme Mme de Saint-Cerre s'il me retrouvait dans quelques heures sous un autre nom?

Le jeune homme réprima son envie de rire.

— Il y aura plus de mille passagers à bord de l'*Age d'or*, expliqua-t-il. C'est l'avantage de ces géants des mers : on peut y disparaître comme dans les rues d'une ville!

On frappa à nouveau.

Raoul de Saint-Cerre se dirigea vers la porte.

— Voilà... voilà...

Et, tourné vers Julie :

— A tout à l'heure, ma chérie! dit-il à haute et intelligible voix. (Puis il sortit de sa cabine, laissant Julie seule et relativement rassurée.)

Julie resta un long moment immobile, assise face aux hublots, le regard fixé sur la ligne d'horizon. Combien d'heures faudra-t-il à cet immense navire pour embarquer ses passagers, larguer ses ancres et gagner enfin le large? Tant que Julie voyait encore le port de Saint-Nazaire et le quai grouillant de monde, l'inquiétude la rongeait. Elle voyait une chaloupe à vapeur, minuscule coquille de noix, s'approcher de l'*Age d'or*. Elle essayait de distinguer les occupants de cette embarcation. Mais c'était impossible à l'œil nu. Et s'il s'agissait du général Du Barail? Elle préféra ne pas y penser...

Le temps s'était progressivement dégagé. Il faisait

presque beau à présent, avec de brusques rafales de vent. Les nuages se déplaçaient rapidement. La mer était assez agitée, mais le balancement du paquebot sur ses ancres était à peine perceptible. Julie éprouva l'envie irrésistible de sentir le vent du large lui fouetter le visage et de goûter pleinement la sensation d'avoir presque réussi sa folle entreprise. Julie essaya de chasser de son esprit le danger permanent que pouvait représenter un homme tel que M. de Saint-Cerre qui connaissait sa véritable identité sans pour autant soupçonner les mobiles de son étrange conduite. Mais Raoul ne serait dangereux que comme ennemi. Et il ne dépendait que de Julie pour que le journaliste lui fût entièrement dévoué. L'ultime danger, c'était Du Barail. Elle n'y tint plus. Elle entrouvrit la porte de la cabine, doucement, et s'assura que le couloir était désert. Julie s'y engagea, cherchant à gagner la surface. Elle marcha droit devant elle et déboucha sur une sorte de place triangulaire. Ne sachant quelle direction choisir, elle pénétra dans un rouf dont les proportions étaient comparables à celles du café de Suède où elle avait dîné quarante-huit heures plus tôt en compagnie de Patrice Kergoat. D'ailleurs, l'endroit était décoré comme un estaminet de luxe, éclairé par une douzaine de fenêtres. Le plafond, blanc et or, était lambrissé de panneaux en citronnier. Par une double-porte vitrée, Julie gagna l'étrave qui tombait d'aplomb à la surface des eaux. De ce point extrême du paquebot, elle aperçut, en se retournant, l'arrière à une distance qui lui parut fantastique. Elle s'engagea alors sur le boulevard de tribord, attirée par la grande écoutille de la machine à roues. Julie ne put détacher ses yeux des pales gigantesques. Elle perçut un bruit de voix et leva la tête : sur la passerelle du paquebot, au-dessus d'elle, se tenait un groupe d'hommes en uniforme, galonnés d'or. Parmi eux, Raoul de Saint-Cerre.

174

Julie, pour ne pas être vue, se précipita vers un escalier qui s'ouvrait non loin, afin de rejoindre l'appartement de M. de Saint-Cerre par un dédale de couloirs latéraux circulant entre une double rangée de cabines. Elle s'y perdit comme dans un labyrinthe et ne trouva personne pour la renseigner. Les stewards se tenaient sans doute sur le pont, dans l'attente des passagers qui allaient embarquer incessamment. En désespoir de cause, Julie emprunta un escalier à marches métalliques et à rampes d'acajou qui débouchait sur un grand salon décoré de lustres, de lampes à roulis, de peintures recouvertes de glaces. Le jour entrait à flots par des claires-voies latérales qui s'appuyaient sur plusieurs rangées de colonnettes dorées d'une extrême élégance. On se serait cru aux Tuileries... En abord étaient disposées plusieurs rangées de cabines séparées par un couloir. Julie fronça les sourcils, puis elle ouvrit son réticule pour consulter son billet afin de vérifier que Mme Delatouche occupait bien la cabine 73 de la série du grand salon, où le plus grand des hasards l'avait conduite. Sur les portes des numéros dorés : 68... 69... 70...

Julie pressa le pas. Arrivée devant le numéro 73, elle y trouva une petite pancarte, comme sur les autres portes : Mmes Delatouche et Paradis. Julie en conclut qu'elle n'occuperait pas seule sa cabine dont elle poussa résolument la porte. La chambre était beaucoup plus spacieuse que celle de M. de Saint-Cerre et pour cause, puisqu'elle était destinée à un général! Il y avait deux lits, un bureau, des pliants et un miroir à charnières surmontant la coiffeuse qui avait dû être installée là, in extremis, et en l'honneur des deux passagères, car on imaginait mal le général Du Barail frisant ses favoris en robe de chambre, assis à une coiffeuse...

Au moment où Julie allait se recoiffer, elle sentit comme un frémissement sous ses pieds, dans les profondeurs du navire. Les meubles et objets de la cabine, pourtant solidement arrimés, se mirent à trembler. Des remous bruyants prouvèrent à la jeune fille que les machines s'essayaient. Bien douce musique aux oreilles de Julie Crèvecœur. Elle entendit des pas dans le couloir... Que dirait-elle si quelqu'un la trouvait là, bien avant les autres passagers? Mais les pas se perdirent au loin. De toute manière, le vapeur qui amenait les passagers ne devait plus tarder puisque tout indiquait que l'*Age d'or* s'apprêtait à lever l'ancre. Après mûre réflexion, Julie décida de retourner sur le pont. A cet instant précis la porte s'ouvrit.

— Oh, pardon! fit le steward, ahuri de trouver déjà quelqu'un d'installé.

Julie décida de mettre à profit les leçons de M. de Saint-Cerre dont l'aplomb, en toutes circonstances, n'avait cessé de l'impressionner.

— Je suis Mme Delatouche, dit-elle avec beaucoup d'autorité.

Revenu de sa surprise, le steward lui souhaita la bienvenue à bord.

— Est-ce que Madame n'a besoin de rien?

— De repos, répliqua Julie. J'ai besoin de beaucoup de repos!

— Je comprends... Je vais faire en sorte que personne ne vienne déranger Madame!

Julie examina l'écriteau qui se trouvait sur la porte.

— J'ai vu que je n'étais pas seule dans cette cabine, dit-elle, je peux difficilement en interdire l'accès à une dame avec laquelle je vais cohabiter pendant plusieurs semaines.

Mais le steward ne semblait pas partager ses scrupules.

— Que Madame ne s'en fasse surtout pas. Dès qu'un passager met le pied sur le pont, il se précipite dans l'une des salles à manger pour y marquer la place de son couvert. C'est une sorte de rituel.

Mme Paradis ne manquera pas de se conformer à cet usage...

Il sortit et Julie s'installa devant la coiffeuse, s'examina d'un œil critique, puis elle se rendit compte que le petit déjeuner pris en compagnie de M. de Saint-Cerre remontait aux toutes premières heures de la matinée. A présent, il n'était pas loin de midi et le mot « salle à manger » dans la bouche du steward n'avait pas manqué d'éveiller chez Julie une vive sensation de faim. Au moment où elle sentait que les derniers obstacles étaient à peu près surmontés, la nature reprenait ses droits.

— J'ai faim, dit Julie à sa propre image dans le miroir ovale de la coiffeuse.

Lorsqu'elle déboucha sur le pont de l'*Age d'or*, le tender encombré de passagers était en train de se ranger au pied de l'escalier tribord. Débarrassée de toute crainte depuis que son assurance avait empêché le steward de lui poser la moindre question quant à sa présence insolite à bord d'un navire où ne devait, en principe, se trouver que l'équipage, Julie Crèvecœur assista à l'ascension des bagages et des passagers. Elle se demanda ce que pouvaient bien contenir ces caisses aussi grosses que des wagons où se détachait l'aigle impérial autrichien. Tout cela disparut dans les magasins de l'entrepont. Julie, qui avait confié son maigre bagage à l'homme de la Société des Affréteurs, sur le quai d'embarquement, connut une minute de panique en se demandant si son sac en tapisserie, qui contenait tout ce qu'elle possédait, n'était pas définitivement perdu au milieu de ce fouillis... Puis elle se rappela que l'employé avait fixé sur chaque colis un carton où se trouvaient inscrits le nom du passager et le numéro de sa cabine. Rassurée, et de toute manière détachée de tout ce qui était détail matériel, uniquement tournée vers l'avenir, Julie décida de suivre le conseil de Raoul de Saint-Cerre et de se mêler à son tour aux passagers qui disparaissaient par groupes compacts dans les flancs du navire, guidés par les membres de l'équipage qui assistaient à ce déferlement avec le stoïcisme de ceux qui avaient l'habitude des embarquements. Un second vapeur s'approcha au moment où le premier déborda, encrassant les parois de l'*Age d'or* des scories de sa fumée. Julie y distinguait les uniformes étincelants des hussards autrichiens. Du quai, là-bas, parvenaient des flonflons de musique militaire et les « hourra » très atténués de la foule. Julie acquit la certitude que le général Du Barail se trouvait à terre, à la tête des officiels. A moins qu'il ne fût déjà sur le chemin du retour, vers Paris. Dans ce cas, il ne pourrait parler de ce qu'il avait cru voir à Saint-Nazaire que demain au plus tôt, en admettant qu'il attachât une réelle importance à cette rencontre avec un sosie de Mlle Crèvecœur... D'ici là, l'*Age d'or* voguerait au milieu de l'océan et plus rien ni personne ne pourrait empêcher Julie Crèvecœur de réaliser ce qui, hier encore, avait pu sembler un projet chimérique et irréalisable...

Julie avait faim.

De grosses volutes de fumée tourbillonnaient à l'orifice des cheminées du paquebot. Une pluie fine de vapeur retombait sur le pont, s'insinuant partout, collant les cheveux et les vêtements. L'embarquement des troupes autrichiennes se fit beaucoup plus rapidement que celui des passagers civils. Le second tender déborda à son tour.

Le vent augmentait de violence. Le navire venait sur ses ancres. Julie entendait les maillons cliqueter. Là où elle se trouvait, elle pouvait observer le progrès de l'appareillage. Lentement, les ancres quittaient leur fond tenace. L'ordre de départ avait dû être donné, car les pales de la gigantesque machine à roues frappèrent lentement et avec une certaine majesté les premières couches d'eau.

Alors, l'énorme vaisseau se déplaça très doucement d'abord. Pour Julie Crèvecœur, c'était la minute de vérité. Il n'y avait plus de retour possible. A partir de cet instant, il s'agissait de faire face à l'inconnu, d'oublier le passé, le confort d'une existence réglée au cordeau. Julie aurait pu éprouver une certaine crainte, mais il n'y avait en elle qu'une immense exaltation. Pour la première fois elle comprit le sens profond du mot « liberté ».

Un peu plus tard, l'*Age d'or* se trouva par le travers du quai d'embarquement. Au grand mât flottait le pavillon français, au mât de misaine le pavillon autrichien. Julie, tenaillée par la faim, s'apprêtait à descendre jusqu'au boulevard de tribord qui la ramènerait vers l'arrière où se trouvaient les salles à manger, mais une explosion formidable la plaqua littéralement contre la rampe de l'escalier de fer. Plusieurs coups de canon, tirés semblait-il à côté d'elle, déchiraient l'air. Julie n'eut guère le temps de se poser des questions. Une main solide avait saisi son bras.

— Un peu plus et vous dévaliez cet escalier la tête la première!

La voix de Raoul de Saint-Cerre.

— Que se passe-t-il? interrogea Julie, haletante. Les Autrichiens nous ont déclaré la guerre?

— Au contraire, mademoiselle Cr... pardon! madame Delatouche! Au contraire. MM. les Autrichiens adressent un dernier salut au port de Saint-Nazaire.

— En faisant tirer le canon? s'étonna Julie.

Elle descendait les marches, soutenue par le bras du journaliste.

— Dans le but de protéger la vertu de ses passagères, l'*Age d'or* est armé de trois pièces en bronze de calibre de deux. Il y a aussi à bord douze fusils, onze revolvers et dix-huit sabres. Sans parler de deux escadrons de hussards autrichiens armés jusqu'aux dents que vous avez vus embarquer. Avec leurs caisses de munitions et autre chose aussi. De quoi réduire en cendres la ville de Mexico!

Le vent de sud-ouest soufflait en grande brise, plaquant les vêtements humides de Julie contre son corps. Elle sentait le regard admiratif de Raoul de Saint-Cerre qui s'arrêtait un peu trop longtemps sur le buste délicat de la jeune fille et sur la courbe, ô combien harmonieuse, de ses hanches qui se dessinait avec une netteté très peu protocolaire, révélant presque tous les détails de son anatomie : ses longues cuisses et jusqu'à la forme du mollet.

— Vous êtes éblouissante, murmura le jeune homme.

— Je suis surtout affamée, répliqua Julie.

Sous la poussée de ses aubes, la vitesse de l'*Age d'or* s'accéléra. Le vent avait chassé les nuages. Un steward, marchant au pas de charge, les dépassa.

— Le lunch est servi, psalmodiait-il, le lunch est servi...

Guidée par Raoul, qui semblait connaître le navire dans ses moindres recoins, grâce à la visite approfondie qu'il venait d'accomplir sous la conduite de l'officier en second, Julie Crèvecœur atteignit les « dining-rooms » sans se perdre en chemin. Tous les passagers civils semblaient s'y être donné rendez-vous. Les militaires disposaient d'une salle spéciale transformée en mess. Le maître d'hôtel s'occupait d'un retardataire.

— M. Mutli, cabine 124, premier rang en abord.

Celui qui se présentait ainsi était un homme d'aspect sévère, arborant une redingote sombre de coupe presque ecclésiastique ou militaire. « D'après son accent, pensa Julie, cela ne peut être qu'un Italien... »

— Choisissez votre table, monsieur, disait le maître d'hôtel.

L'homme pénétra dans la salle à manger. Ce fut le tour de Julie.

— Soixante-treize, série du grand salon...

Le maître d'hôtel se pencha sur son registre.

— Madame Delatouche?

— C'est moi, dit Julie.

Elle n'apprécia guère le regard sarcastique que lui lançait Raoul de Saint-Cerre.

— Ces messieurs-dames désirent luncher ensemble?

— Je vous crois! s'écria Raoul avant même que Julie eût pu répondre.

Et sans attendre, le journaliste entraîna la jeune fille vers l'une des rangées de tables solidement arrimées au sol. Les verres et les bouteilles étaient placés au-dessus, sur des planchettes de roulis. Raoul choisit une table qui avait l'avantage d'être un peu isolée. Il la retint pour la traversée en inscrivant les noms de « Delatouche et Saint-Cerre » sur un bout de papier.

— Vous ne manquez pas de toupet, dit Julie. Qui vous dit que j'ai l'intention de prendre tous mes repas avec vous?

— Lorsque vous en aurez assez de moi, répliqua le jeune homme, il vous suffira de déchirer ce bout de papier. Mais je suis un garçon très séduisant et cela m'étonnerait beaucoup que vous vous lassiez de ma compagnie avant l'arrivée à la Vera Cruz.

Julie avait l'impression que quelqu'un ne la quittait pas du regard. Elle tourna la tête : d'une autre table on l'observait avec une vive curiosité. M. Mutli ne baissa pas les yeux, mais esquissa un pâle sourire et s'inclina légèrement.

— Vous connaissez cet homme? demanda Raoul.

— Je ne l'ai jamais vu, dit Julie.

Elle avait eu le temps de se rendre compte que M. Mutli avait un visage émacié, encadré d'une barbe noire taillée en pointe. Julie se demanda quel intérêt pouvait bien lui trouver un homme déjà mûr, qui, visiblement, ne devait pas avoir pour habitude de sourire aux inconnues qui croisaient sa route.

— Vous n'avez peut-être pas l'habitude des voyages en bateau, dit le journaliste, mais dès qu'ils sont en mer, les gens ne sont plus les mêmes. Il faut croire que les humains, lorsqu'ils prennent conscience de leur petitesse face à l'immensité des océans, éprouvent le besoin irrésistible de se rapprocher les uns des autres.

— Je pense plutôt que c'est ma blouse, hasarda Julie.

— Votre blouse?

— Vous devriez savoir qu'on appelle ce genre de camisole une *Garibaldi*... Ce monsieur, s'il est italien, me prend peut-être pour une compatriote?

Raoul de Saint-Cerre riait sous cape.

— Je raffole de votre logique, dit-il. Sous des apparences raisonnables, on y découvre un grain de folie salutaire.

Vexée, Julie se tut.

Un garçon en veste blanche vint prendre leur commande. Il était tout grisonnant avec un visage de loup de mer. Julie l'imaginait davantage en quartier-maître qu'affecté au service des passagers. Il leur récita le menu, d'une traite, comme une prière :

— Consommé au pain, alose en sauce ravigote, fricandeaux et purée de pommes, artichauts en sauce hollandaise, gibier rôti, salade de laitue, savarin, fromage, fruits!

— C'est tout? questionna Raoul non sans ironie.

— Les plats sont fort copieux, monsieur, dit le garçon qui devait être pince-sans-rire.

— Vous ne mangerez pas la moitié de tout cela, dit le journaliste en considérant la silhouette mince et flexible de Julie Crèvecœur.

— Détrompez-vous, monsieur, lança celle-ci.

Le garçon grimaça un sourire à l'adresse de Julie.

— Rien de tel que le grand air pour ouvrir l'appétit des demoiselles, dit-il. J'en ai connu, des passagères, qui, au début de la traversée, faisaient la fine bouche et ensuite dévoraient comme quatre. Mademoiselle ne voudra pas me croire, mais, quand j'ai commencé à naviguer, les gens embarquaient encore avec leurs domestiques, des vivres frais et des médicaments... C'était le bon temps. Parfois même, les belles jeunes filles se faisaient enlever par des pirates!

— A présent, dit Julie, elles se font enlever par les messieurs seuls qui les font danser dans les salons, je suppose...

Le sourire du garçon s'élargit encore.

— Je vois que Mademoiselle connaît la musique.

Raoul lui désigna le carton qu'il venait de remplir.

— « Mademoiselle » est « Madame », précisa-t-il. D'où sa grande expérience!

Le vieux bourlingueur s'en alla, un peu confus.

— Si vous voulez que nous restions bons amis, monsieur de Saint-Cerre, il vaudrait mieux que vous m'acceptiez telle que je suis.

— Justement, dit Raoul, vous faites l'impossible pour déguiser votre véritable personnalité. Si vous me témoigniez tant soit peu de confiance, vous trouveriez en moi un homme qui vous serait aveuglément dévoué. Il me semble vous avoir prouvé suffisamment que... que vous pouviez compter sur moi.

C'était parfaitement exact et Julie s'en voulut d'avoir été désagréable avec un personnage que la providence semblait avoir placé sur sa route au moment opportun. Elle s'apprêtait à lui dire quelques mots chaleureux, mais à cet instant on vint servir le consommé dans une soupière en argent et avec un cérémonial digne des meilleurs restaurants parisiens.

Raoul de Saint-Cerre avait demandé la carte des vins au sommelier et commandé du Clicquot. Il choqua sa coupe contre celle de la jeune fille.

— A la santé de M. Havet, le directeur du *Siècle*. C'est lui qui règle mes notes de frais.

Julie goûta pleinement le vin de la liberté. A cet instant, elle était absolument certaine de la réussite de son entreprise et ne doutait pas une seconde qu'au bout de ce voyage elle trouverait le bonheur et la paix de l'âme.

Julie mangea avec un appétit d'ogre sous l'œil admiratif et amusé de M. de Saint-Cerre.

— J'aime votre appétit, dit-il la voyant reprendre du fromage. Toutes les grandes amoureuses ont été de solides fourchettes.

Julie préféra ne pas relever cette réflexion qui la toucha au vif. Elle laissa même passer le savarin, non sans regret, car il lui déplaisait d'être cataloguée de la sorte par ce garçon dont l'insolence l'agaçait un peu. Mais il lui était difficile de ne pas se souvenir de certaines soirées passées avec Alain dans le pavillon d'Auteuil où les deux amants déchiraient à belles dents un poulet de taille appréciable, dont ils ne laissaient que les os. Ce repas à bord de l'*Age d'or*, en face de cet inconnu, ressemblait vaguement à quelque fête et Julie s'en voulut brusquement d'être presque heureuse alors qu'au même moment son amant souffrait sans doute de la faim, au fond d'une cellule de prison.

Elle se leva.

— Où allez-vous?

— Excusez-moi, monsieur, dit Julie, mais il vaut mieux que je me retire, car... car dans quelques instants je risquerais de vous offrir le spectacle d'une bien triste convive...

— Qu'y a-t-il? s'écria le jeune homme. Vous avez des larmes dans les yeux... Si je vous ai froissée, dites-le-moi, je vous en supplie.

Sa voix devint plus sourde.

— Je ferais n'importe quoi pour vous entendre rire et vous voir heureuse, murmura-t-il.

Julie partit très vite en pensant que jamais il n'aurait eu l'audace de s'adresser ainsi à une femme mariée.

Un peu plus tard, alors qu'elle venait de s'engager
dans un couloir qui devait la conduire vers la série
des cabines du grand salon, elle entendit un pas derrière elle. Elle en éprouva du soulagement, car elle se
rendit compte qu'elle était en train de se perdre dans
les entrailles du paquebot. En fin de compte, M. de
Saint-Cerre savait se rendre indispensable. Elle aurait
dû lui demander le chemin avant de s'élancer ainsi à
l'aveuglette.

Les pas se rapprochaient.

— Veuillez m'excuser, signorina...

Julie s'arrêta, interdite.

Elle dévisagea l'étrange personnage qui se tenait devant elle, légèrement courbé. Il semblait évident que
ce M. Mutli l'avait suivie au moment où elle avait
quitté la salle à manger.

— Eh bien, monsieur?

Julie était sur la défensive.

— Je vous prie de pardonner mon audace, dit
l'homme avec cet accent transalpin qui donnait infiniment de charme à ses paroles, mais j'aimerais vous
poser une question. Si elle est indiscrète, n'y répondez pas surtout.

Subitement, Julie perdit cette belle assurance
qu'elle avait depuis le moment où l'*Age d'or* avait largué ses ancres. Etait-il possible que cet homme...?
Pourtant, il lui était totalement inconnu. Et même, en
admettant qu'il l'eût vue quelque part à Paris, au
théâtre ou au bal, quelle importance après tout? Il
n'y avait pas d'escale de prévue avant Fort-de-France!

Il prit le mutisme de Julie pour un encouragement.

— N'êtes-vous pas originaire de Palerme?

Si Julie n'avait pas été aussi effrayée, elle aurait
éclaté de rire. La question lui parut parfaitement incongrue.

— Je suis parisienne, monsieur, dit-elle, et je n'ai jamais quitté Paris.

L'homme la regarda.

— J'ai des... des amis en Sicile et votre visage me rappelle étrangement celui des femmes de... d'une certaine famille où il m'est arrivé de séjourner au temps de... enfin, quand j'étais plus jeune.

— Cela ne peut être qu'un hasard, murmura Julie avec un immense soulagement.

Et elle ne put résister à l'envie d'ajouter :

— Déjà ce matin, à Saint-Nazaire, sur le quai d'embarquement, un général m'a confondue avec une personne de sa connaissance.

A sa grande surprise le visage de M. Mutli s'assombrissait, comme si la seule évocation du général Du Barail le faisait souffrir.

— Le général français ? demanda-t-il.

— Bien entendu, répliqua Julie. Je n'en ai pas vu d'autre ce matin.

L'homme s'inclina.

— Je vous prie encore une fois d'accepter mes plus humbles excuses.

Il allait faire demi-tour. Puis il se ravisa.

— J'aime beaucoup ce... cette camisole rouge que vous portez, dit-il, désignant la *Garibaldi*.

— La mode en a été lancée par l'impératrice Eugénie, dit Julie pour dire quelque chose.

L'homme était vraiment un peu bizarre : en entendant prononcer le nom de l'Impératrice, il fit une sorte de moue dédaigneuse.

— Cela est bien regrettable, dit-il

Puis il se détourna et s'éloigna, grand, un peu voûté et tout à fait déconcertant.

Julie reprit son chemin, s'égara un peu, mais finit par retrouver le grand salon, puis la cabine 73. En poussant la porte, elle crut d'abord s'être trompée de cabine, car la chambre était plongée dans une miobscurité où flottait un parfum vaguement exotique et trop sucré au goût de Julie. Au milieu, une malle aux proportions impressionnantes et à moitié défaite. A travers les découpages en fer-blanc de ce bagage aux courroies luxueuses était brossé un « P » majuscule.

— Qu'est-ce que c'est? fit une voix endormie.

Sur la couchette de gauche se dressait une forme humaine dont les contours n'étaient pas sans rappeler ceux de la malle.

— Pardon, fit Julie confuse, mais je crois que nous partageons cette cabine...

— Alors, soyez assez aimable pour ouvrir les rideaux.

Mme Paradis était tout à fait réveillée à présent. Julie dégagea les hublots dont les entre-barrots étaient garnis d'un grillage en zinc destiné à faciliter l'aération.

— Que voulez-vous, soupirait Mme Paradis, à Fort-de-France on fait toujours la sieste après le déjeuner.

Elle avait un accent charmant qui allait fort bien au nom quelque peu exotique qu'elle portait.

— Je suis désolée de vous avoir réveillée, dit Julie. J'allais moi aussi m'allonger un peu, car je ne me sens pas très bien.

— Vous êtes sensible au roulis? questionna Mme Paradis avec une légère angoisse dans la voix.

— Au roulis? s'étonna Julie.

La lumière qui entrait à flots dans la cabine lui permit de constater que sa compagne de voyage était une dame replette d'une trentaine d'années avec des chairs molles et des yeux proéminents qui reflétaient une sorte de surprise perpétuelle. Elle avait dû être fort jolie et sa peau ambrée avait encore de l'éclat. Mais le cou était trop fort, alourdi par un double menton à fossette. Par contre, le pied minuscule de la dame était d'une réelle perfection et la cheville étonnamment fine.

— Vous n'allez pas me dire que vous ne sentez pas que ce bateau tangue atrocement?

Julie ne percevait ni roulis ni tangage.

— Je n'y ai pas prêté attention, dit-elle.

— Vous avez de la chance, soupira Mme Paradis en retombant sur sa couche. J'ai mal au cœur, c'est affreux. Et je serais incapable de dire si c'est parce que j'ai trop mangé ou si c'est parce que je suis enceinte!

Julie sursauta.

— Si je peux vous être utile en quoi que ce soit, dites-le-moi. Dans votre état, deux précautions valent mieux qu'une.

Mme Paradis émit un rire qui avait tout du roucoulement.

— Ce que je vous disais là, ma chère, n'était qu'une simple supposition. De toute façon, je mange toujours trop et je n'arrête pas d'être enceinte...

Là-dessus, Mme Paradis retourna sa masse de chair drapée dans un déshabillé mauve contre la paroi de la cabine. Elle soupira et, peu après, Julie l'entendit ronfler. Un long moment passa. Julie gardait les yeux grands ouverts, fixés au plafond. A un certain moment elle eut l'impression que son lit n'était pas tout à fait stable. Elle se crut revenue au berceau et se rendit compte que c'était peut-être là ce fameux tangage qui incommodait Mme Paradis et dont elle n'avait pas eu conscience jusqu'alors. Ce mouvement, à peine perceptible, mais régulier, finit par l'endormir.

Ce qui la réveilla, ce fut un extraordinaire tumulte qui remplissait la cabine comme s'il s'y livrait quelque bataille. C'était la malle de Mme Paradis qui roulait d'un bord à l'autre et qui heurtait avec fracas le mobilier. Julie essaya de se lever, mais elle n'y parvint qu'avec une difficulté extrême et après avoir été durement jetée contre les accotements de son lit. On entendait, dans le couloir, des bruits étranges, des portes qui battaient sauvagement et l'air était rempli du gémissement des cloisons en bois. Julie comprit que l'*Age d'or* devait se trouver en haute mer et que le temps n'était guère clément. Elle se traîna jusqu'au hublot et découvrit avec stupeur qu'il faisait nuit et que, de ce fait, on n'y voyait rien. Combien de temps avait-elle donc dormi? Elle prêta l'oreille à une rumeur comparable au battement cent mille fois amplifié d'un cœur : les roues du paquebot, lesquelles, alternativement émergées, frappaient le vide de leurs énormes palettes.

Tant bien que mal, en s'accrochant aux meubles, Julie parvint jusqu'au lit de Mme Paradis. Celle-ci avait disparu sous ses couvertures en prenant soin de se barricader contre un danger imaginaire avec son oreiller. Des gémissements étouffés parvinrent jusqu'à Julie qui souleva l'oreiller, craignant que sa compagne de voyage ne s'étouffât.

— Vous avez mal, madame?

Ce n'était plus de la surprise que Julie pouvait lire dans le regard de Mme Paradis, c'était de la stupeur.

— J'ai tellement peur, hoqueta-t-elle, que je n'ai plus mal nulle part. Et pourtant, on m'avait prévenue...

— De quoi vous avait-on prévenue?

— De ne pas embarquer sur l'*Age d'or*.

Au tour de Julie de marquer de la surprise.

— Et qu'est-ce qu'on lui reproche, à ce bateau?

— Sa machine à roues, chuchota Mme Paradis. A ce qu'on dit, la machine est trop faible par rapport à la taille du paquebot.

Julie écouta le battement de cœur du navire et le

trouva fort rassurant. Mais si le mauvais temps s'en mêlait, l'*Age d'or* pouvait être détourné de sa route! Julie, qui était impatiente de poser le pied sur le sol mexicain, rageait intérieurement à cette pensée. Mais le navire lui inspirait confiance.

— A moi, on ne m'en a dit que du bien, affirmat-elle avec force.

Elle jugea inutile de préciser qu'en dehors de l'employé de la Société des Affréteurs elle n'avait touché mot à âme qui vive du grand voyage qu'elle allait entreprendre. Et puis, l'empereur d'Autriche aurait-il confié ses chers hussards à un bâtiment qui aurait la réputation de ne pas tenir la mer?

C'était un argument massue auquel Mme Paradis se montra sensible. Après tout cette petite Mme Delatouche faisait preuve d'un bon sens assez réconfortant.

— Je boirais bien quelque chose de chaud, geignit la grosse dame.

Julie agrafa son jupon de flanelle.

— Je vais essayer de trouver le steward, dit-elle avec détermination.

Rien n'était en mesure d'entamer sa confiance ou de tiédir son enthousiasme. La mer était déchaînée? La belle affaire! Pour un peu, Julie Crèvecœur se sentait capable de joindre la Vera Cruz à la nage! Mme Paradis replongea sous ses couvertures.

— Je vous admire, dit-elle d'une voix à peine perceptible. Vous devez être de ce genre de femmes capables d'imiter les hommes en tout.

Elle resurgit à nouveau :

— Et avec ça, dit-elle, on ne vous donnerait même pas vingt ans.

— J'en ai pourtant vingt et un, dit Julie, qui aurait préféré que Mme Paradis restât la tête dans ses oreillers au lieu de la détailler comme elle était en train de le faire.

— Vous avez une poitrine de jeune fille, insista-t-elle.

— Ça ne veut rien dire, remarqua Julie en boutonnant sa *Garibaldi*.

— Combien d'enfants? questionna Mme Paradis.

— Aucun, dit Julie qui avait réussi à gagner la porte sans trop de mal.

— Il faudra que vous me parliez de votre mari!

— C'est promis.

Julie eut beaucoup de mal à ouvrir la porte de la cabine. Dans le couloir, elle fut incapable de se tenir debout. Arc-boutée contre le mur, elle avança un peu à la façon des crabes. Elle appela vainement un steward. Des bruits divers couvraient sa voix. En débouchant sur la place triangulaire, elle aperçut par les doubles-portes, qui battaient la mesure du roulis, l'une des glaces du salon brisée sur le sol déjà jonché de débris de vases et d'objets de toutes sortes. S'aidant des pieds et des mains, Julie parvint jusqu'au seuil du grand salon dans l'espoir d'y trouver quelqu'un.

En effet, solidement calé dans un fauteuil Louis XVI, les pieds s'appuyant au flanc d'un piano de concert, un passager lisait son journal dont il déployait les feuilles immenses avec beaucoup d'adresse. Julie estima qu'il fallait un réel sang-froid pour lire dans de pareilles circonstances le *New York Herald*, car même le piano ne paraissait guère assuré sur ses pieds, malgré son poids considérable.

Sentant une présence dans le salon, le lecteur du *Herald* baissa ses feuilles et Julie reconnut Raoul de Saint-Cerre. Le reporter avait échangé son complet de voyage contre une tenue de soirée des plus élégantes et Julie se demandait comment il s'y était pris sans se casser un membre. D'ailleurs, il y avait quelque chose d'insolite à le voir ainsi, seul dans ce salon désert, dont les lustres au plafond tanguaient et cliquetaient de manière inquiétante.

— Je craignais ne plus vous revoir avant notre arrivée à la Vera Cruz et je m'apprêtais à passer trois longues semaines en tête à tête avec cette bouteille de fine, dit-il, désignant un flacon ventru qu'il serrait contre sa cuisse pour le conserver intact.

— Voilà exactement ce qu'il me faut à défaut d'un steward susceptible de préparer une boisson chaude, s'exclama Julie alors que Raoul imprimait un demi-tour savant à son fauteuil qui roula aussitôt jusqu'à la jeune fille.

— Vous êtes souffrante? s'enquit le journaliste.

— Pas moi, expliqua Julie, mais ma voisine de cabine.

— Le mal de mer?

— ... et le mal d'enfant, mais à ce qu'il paraît c'est chez elle un état naturel.

Raoul de Saint-Cerre jaillit de son fauteuil et en profita pour saisir Julie à bras-le-corps, car elle n'arrivait plus à se relever.

— Vous avez beau manifester une remarquable indépendance d'esprit, dit-il, vous n'êtes après tout qu'une faible femme et comme telle vous avez besoin d'un bras d'homme!

Raoul la tint solidement et à deux ils avancèrent ainsi jusqu'au seuil du salon.

— Puisque le personnel semble avoir abandonné les passagers à leur triste sort, nous allons essayer de nous débrouiller par nous-mêmes, décréta le journaliste, et secourir votre compagne de cabine. Au besoin, nous lui préparerons une boisson chaude sans l'aide de personne.

Raoul, toujours très au courant de la topographie des lieux, s'engagea dans une coursive dallée qu'il repéra après plusieurs essais infructueux et rendus téméraires par le roulis auquel était soumis le navire. C'est là que vint à leur rencontre le garçon grisonnant qui les avait servis au déjeuner, alors que l'*Age d'or* semblait un roc immuable sur les eaux calmes de l'Atlantique. L'homme chargé de plusieurs plateaux se déplaçait avec une adresse presque simiesque et il ne fut pas peu surpris de voir dans cette coursive réservée au service Julie Crèvecœur et son chevalier servant.

— Vous n'êtes pas malades et réfugiés dans votre cabine, messieurs-dames? s'écria-t-il.

— C'est la question que j'allais vous poser, mon ami, dit Raoul. Il semble que le personnel nous abandonne à notre triste sort...

— Ne croyez surtout pas ça, monsieur.

Le garçon semblait sincèrement désolé.

— Mais nous sommes surchargés de travail. Les passagers nous réclament à corps et à cri, parce qu'ils sont presque tous mal en point, enfermés à double tour. Il n'y a plus personne dans les salons.

Julie se retenait à la paroi alors que le garçon jonglait avec ses plateaux.

— Et c'est ainsi à chaque traversée? demanda-t-elle.

— C'est très rare, madame. Nous jouons de malchance. La houle du large nous a pris par le travers en début de soirée et un peu plus tard le vent s'est mis à souffler en tempête.

— Sans parler des Autrichiens, ajouta Raoul.

Julie ne saisit pas le sens de ces paroles sibyllines. Mais le vieux loup de mer coula un drôle de regard en direction du journaliste.

— Je ne vois craiment pas ce que Monsieur veut dire, fit-il avec l'air de quelqu'un qui pensait tout le contraire.

Il allait poursuivre son chemin vers l'arrière et Julie saisit l'occasion pour le prier de porter une boisson chaude à Mme Paradis. Le garçon nota le numéro de la cabine et promit de faire le nécessaire.

— Il ne me reste qu'à vous remercier, monsieur de

Saint-Cerre, dit Julie. Je vais, moi aussi, regagner ma couchette, en attendant que cela se calme.

— Si vous voulez éviter d'être malade, venez humer le grand air sur le pont. D'ailleurs, entre nous, si vous n'avez pas encore le mal de mer, vous ne l'aurez jamais!

En fait, Julie n'était guère incommodée par le roulis. Rompue aux exercices physiques, grande cavalière, ayant le cœur bien accroché, elle craignait plutôt qu'autre chose les plaintes et les gémissements de sa compagne de cabine. D'un autre côté, elle estimait de son devoir d'assister dans la mesure de ses moyens une dame qui se disait dans une position intéressante sans pour autant en avoir de certitude absolue, ce que Julie Crèvecœur trouvait assez cocasse.

— Un peu d'air frais ne pourrait nous faire que du bien, concéda-t-elle. On étouffe littéralement dans cette coursive.

Raoul de Saint-Cerre conseilla de poursuivre vers l'avant où un escalier leur permettrait d'accéder directement au pont. Au bout de quelques mètres le battement des roues s'amplifia au point de devenir assourdissant.

— La machine! hurla Raoul, désignant un énorme renflement garni de tôles que contournait la coursive.

Dès qu'ils en furent éloignés, Julie rapporta au journaliste les propos de Mme Paradis qui avait défini l'*Age d'or* comme un géant dont la force n'était pas en proportion avec sa taille. Raoul de Saint-Cerre haussa les épaules.

— Cela ne peut en rien justifier ce qui se passe actuellement à bord d'un navire qui a déjà franchi vingt-trois fois l'Atlantique avec, pour l'ensemble de ces traversées, un résultat mieux que satisfaisant.

— Vous ne croyez pas sérieusement que la présence des troupes autrichiennes lui ait jeté un sort?

194

questionna Julie, se rappelant la curieuse remarque du jeune homme.

Raoul ne répondit rien. Ils avancèrent péniblement jusqu'au pied d'un petit escalier métallique. Avant de poser le pied sur la première marche, le reporter se tourna vers la jeune fille

— Les Autrichiens ont embarqué un matériel de guerre considérable, dit-il, et un grand nombre de pièces d'artillerie. Ce bateau est fait pour transporter des passagers et aussi du fret, bien sûr. Mais je suis certain que le poids des canons autrichiens déséquilibre l'*Age d'or*, le rendant beaucoup plus vulnérable à la tempête et difficile à manœuvrer. Je ne vous cacherai pas que l'officier en second m'a fait à ce sujet quelques remarques que je ne pourrai malheureusement pas reproduire dans mon journal sous peine de briser la carrière de cet homme.

Julie fut frappée par la gravité avec laquelle Raoul prononça ces paroles. Quand il lui passa le bras autour de la taille pour l'aider à gravir les marches cannelées, elle n'eut pas l'idée de protester. Elle ressentit une impression de sécurité due à sa présence, alors qu'elle se sentait entourée subitement de dangers qu'elle n'avait même pas soupçonnés. Cependant, elle gardait toute confiance en sa bonne étoile.

Il était impossible de se tenir debout sur le pont. L'*Age d'or*, que n'appuyait aucune voile, roulait abominablement. En levant la tête, Julie pouvait apercevoir l'officier de quart accroché à la passerelle et qui était balancé avec une violence telle que Julie se forçait à ne plus le regarder, car cela lui donnait le vertige. La nuit était assez claire, mais il y avait d'énormes nuages bas que la tempête chassait devant elle avec fureur. La mer était couleur d'ardoise. Elle se gonflait en vagues interminables dont l'aspect était d'autant plus inquiétant qu'elles ne déferlaient jamais et constituaient de la sorte une menace perpétuelle;

elles prenaient le navire par le travers. Pour ne pas glisser sur le pont que l'embrun rendait impraticable, il fallait se cramponner aux taquets de tournage.

— Tenez bon! hurlait Raoul de Saint-Cerre, essayant de se faire entendre.

Il avait posé sa main sur celle de la jeune fille, dans le but louable de ne pas lui faire lâcher prise et protégeait de son corps celui de Julie. Elle ne voyait de lui que son avant-bras et cette main longue et nerveuse qui tenait prisonnière sa propre main. Mais plaquée contre Raoul, elle éprouvait un trouble certain contre lequel elle luttait de toutes ses forces. Pour la première fois, depuis des mois, elle avait une sensation de bien-être physique et elle fut heureuse que Raoul ne pût voir l'expression de son visage, car il y aurait décelé sans doute ce désarroi auquel la tempête était parfaitement étrangère. A un moment donné, elle sentit les lèvres du jeune homme qui frôlaient ses cheveux. Sous prétexte de la protéger, il la tenait comme prisonnière et Julie Crèvecœur se raidissait, essayant d'échapper à cette emprise.

— J'ai froid!

Ce n'était pas vrai, mais Julie trouvait cette promiscuité dangereuse. Il la ramena tant bien que mal jusqu'à l'escalier le plus proche. Au moment où ils allaient s'y engager, une silhouette engoncée dans un paletot surgit des profondeurs du navire, cramponnée à la rampe, profitant d'une oscillation sur deux pour se hausser jusqu'au pont. Un visage exsangue encadré d'une barbe noire taillée en pointe : M. Mutli. En découvrant Julie et son compagnon, il dissimula dans la poche de son paletot un objet qu'il tenait serré dans sa main. Il ne s'attendait certes pas, par un tel temps, à découvrir des passagers sur le pont, en pleine nuit. Il dévisagea Julie, la reconnut, essaya de sourire. Mais sa respiration était haletante et la sueur collait des mèches sombres sur son front.

— Je... je suis désolé, signorina, bredouilla-t-il.

Toujours cramponné à la rampe de l'escalier, il semblait en défendre l'accès. Raoul de Saint-Cerre lui tendit une main secourable afin de le hausser jusqu'au niveau du pont. Mais l'étrange personnage résista.

— Que faites-vous là, signorina?

— Mais... je prenais l'air, dit Julie, surprise par cette question, et je m'apprêtais à retourner dans ma cabine.

Avec une vigueur qu'on ne lui soupçonnait guère, M. Mutli gravit les dernières marches. Agrippé à une épontille de la passerelle, il passa une main sur son front.

— Ne restez pas là, murmura-t-il, essayant d'entraîner les jeunes gens vers l'avant. Ne restez pas ici, je vous en supplie...

Son comportement était tout à fait bizarre.

— Je vous assure, cher monsieur, que le roulis est partout le même, expliqua Raoul, arc-bouté contre la tempête.

L'homme lui jeta un regard rapide.

— Il s'agit bien du roulis, jeune homme.

Julie fit une glissade involontaire, se retint au paletot de l'Italien et sentit dans la poche de cet homme les contours d'un objet dur dont elle crut reconnaître l'origine. Elle n'eut guère le temps de réaliser ce qu'il pouvait y avoir de troublant dans sa découverte. Un choc venait de se produire. Une secousse qui semblait venir des entrailles même du paquebot livra celui-ci au caprice de l'océan et un paquet de mer vint le frapper par tribord.

Projetée contre le portemanteau d'une chaloupe, Julie s'y agrippa. Elle découvrit, stupéfaite, que, sur la crête des lames, apparaissaient des morceaux d'épaves. Comment une simple tempête pouvait-elle avoir des effets aussi désastreux? Elle eut la sensation que l'*Age d'or* était en train d'effectuer une manœuvre, dans le but évident d'empêcher ces débris de s'engager dans les aubes. La manœuvre se révéla dangereuse, car, cette fois, un formidable paquet de mer déferla sur le pont, entraînant irrésistiblement l'Italien qui disparut presque aussitôt sous le regard épouvanté de Julie. Elle voulut s'élancer à son secours, mais Raoul, qui se tenait près d'elle, la retint de toutes ses forces.

— Vous êtes folle?

— Cet homme se noie! Il faut le sauver...

Une nouvelle trombe faillit emporter Julie que le journaliste retint d'une poigne de fer. Elle reconnut que Raoul avait raison : il était hors de doute que s'aventurer sur le pont correspondait à un suicide certain. Et le pauvre M. Mutli avait dû passer par-dessus bord avec la lame qui l'avait emporté. Le paquebot évolua encore et Raoul profita d'une relative accalmie pour entraîner Julie vers l'escalier, dans le but évident d'alerter l'équipage du tragique accident dont ils venaient d'être témoins.

Trempée des pieds à la tête, transie de froid, claquant des dents, Julie était obsédée par l'idée que M. Mutli aurait pu être secouru. L'escalier, celui-là même dont l'Italien avait défendu l'accès quelques instants plus tôt, conduisait dans les cales du navire. Au bas des marches s'ouvrait une coursive. Un homme en uniforme de hussard y était couché en travers.

— Un Autrichien saoul comme un Polonais! s'écria Raoul.

Le journaliste avait tout d'un homme qui venait de plonger tout habillé dans la mer. Son élégant costume de soirée lui collait à la peau, sa chemise à jabot ressemblait à une serpillière. Il s'agenouilla près du soldat autrichien et se releva presque aussitôt. Sur son visage se lisait une intense stupéfaction. Machinalement, il passa sa main sur le plastron détrempé de sa chemise : elle y laissa une large traînée rouge.

— Il est mort, murmura-t-il.

Julie regarda Raoul, puis le cadavre couché à ses pieds. Elle fit un immense effort pour garder son sang-froid.

— Il a été tué net, ajouta Raoul de Saint-Cerre.

— Tué?

— D'une balle dans la poitrine.

Julie lutta de toutes ses forces pour ne pas s'effondrer, pour ne pas montrer à Raoul qu'elle mourait de peur.

— Cet homme, murmura-t-elle, cet Italien qui vient de passer par-dessus bord.

Le journaliste avait conservé tout son calme, du moins apparemment.

— Il n'était pas italien, murmura-t-il, mais citoyen helvétique. Négociant huguenot, à ce qu'il paraît, et qui se rendait à Mexico dans le but d'obtenir le remboursement de certaines créances consenties naguère à Miramon.

Fidèle à ses habitudes de reporter, Raoul de Saint-Cerre avait pris ses renseignements.

— Peu importe, dit Julie. Italien ou Suisse, une chose est certaine : il était armé!

Sa voix tremblait, mais elle fit un effort pour se dominer.

Raoul regarda la jeune fille, perplexe.

— Comment le savez-vous?

— Tout à l'heure, lorsqu'il nous a découverts en haut de l'escalier que nous venons d'emprunter, il a caché précipitamment un objet qu'il tenait à la main. Je ne m'en suis souvenue que lorsque j'ai failli glisser sur le pont et que, m'étant retenue au paletot de M. Mutli, j'ai senti dans sa poche les contours d'une crosse de pistolet!

Raoul allait répondre, mais des coups frappés sous leurs pieds l'en empêchèrent. Le navire pencha vers tribord et Julie fut projetée contre la paroi. Si Raoul ne l'avait pas retenue, elle serait tombée sur le cadavre de l'Autrichien.

— Comprenez-vous, Raoul? Il ne voulait pas que nous empruntions cet escalier, il ne voulait pas que nous restions de ce côté-ci du navire...

Dans les yeux du journaliste passa comme un éclair fulgurant.

— Bien entendu, s'écria-t-il. Les caisses de munitions! Les canons autrichiens!

Déjà, il entraînait Julie rapidement, en se heurtant violemment aux tôles de la coursive. Les coups de plus en plus nombreux et inquiétants les chassaient vers l'avant du navire. Julie jusqu'à cet instant n'avait pas vraiment eu conscience du danger mortel qui l'environnait. Sa foi en l'avenir était telle que les obstacles qui se dressaient devant elle lui paraissaient autant d'épreuves que le destin lui imposait pour ainsi dire par jeu. Elle était persuadée, depuis le départ de Saint-Nazaire, qu'elle était capable de faire face à toutes les situations. Mais là, dans ce boyau de tôle, où le roulis et le tangage étaient particulièrement sensibles, elle eut l'impression subite d'être prisonnière d'un piège gigantesque. Elle rageait à la pensée de mourir ainsi, au fond de l'océan, bêtement, sans avoir eu le temps de vivre sa vie. Raoul de Saint-Cerre devait être habité par des pensées analogues, mais il semblait avoir pris le parti de se moquer de sa propre peur.

— Un reportage en or, à condition que je vive assez longtemps pour le faire parvenir au journal : « Sabotage à bord de l'*Age d'or*! »

Il interrompit leur course et exhiba la bouteille de cognac qu'il avait préservée des chocs au prix de Dieu sait quelles acrobaties.

— Nous la viderons ensemble, ensuite j'y glisserai mon papier... un article explosif. Et ensuite : hop! à la mer! On finira par recueillir cette bouteille, un jour, quelque part, et alors ma gloire posthume sera définitivement assurée!

Ils finirent par découvrir une porte qui battait sous l'effet de la tempête et qui s'ouvrait sur un escalier en colimaçon donnant sur une rangée de cabines. Des visages apeurés, livides, paraissaient au détour d'un couloir. Quelques passagers en tenue de nuit questionnaient un steward qui faisait de son mieux pour les tranquilliser, mais le cœur n'y était pas. Julie et Raoul de Saint-Cerre se gardèrent bien de souffler mot de ce qu'ils venaient de voir et de comprendre à moitié. La moindre parole maladroite aurait provoqué la panique à bord. Déjà leur apparition, trempés jusqu'aux os, sans parler des traces de sang sur le plastron du journaliste, avait produit un effet désastreux. Par bonheur, la cabine de Raoul se trouvait un peu plus loin. Les jeunes gens purent s'y engouffrer, coupant court aux questions dont on les assaillit au sujet de ce qu'ils avaient vu sur le pont où personne n'osait s'aventurer.

Complètement épuisée, Julie se laissa tomber sur la couchette. Elle grelottait. Raoul posa un genou sur le lit et déboucha la précieuse bouteille. Il allait approcher le goulot des lèvres de Julie, puis il se ravisa et prit sur la toilette l'un des gobelets d'argent qui avaient fait l'admiration de la jeune fille dans le chemin de fer Paris-Saint-Nazaire. Il eut beaucoup de mérite à accomplir tous ces gestes, car le roulis n'avait rien perdu de son intensité et les boiseries gémissaient à fendre l'âme. Il réussit à remplir le gobelet sans perdre une goutte. Avec des gestes de nourrice, il fit boire Julie qui eut d'abord un haut-le-corps. C'était du très vieux cognac. Sa chaleur se répandait dans les veines et au lieu d'obscurcir l'esprit, il le clarifiait.

— Je ne comprends rien au personnage de ce

Suisse infortuné, dit Julie qui sentait les forces lui revenir. (Elle vida le gobelet.)

— Vous aviez raison, s'écria Raoul Ce Suisse était
certainement un Italien embarqué à bord de l'*Age
d'or* sous une fausse identité.

Oubliant ses manières de dandy, il leva la bouteille
jusqu'à la hauteur de sa bouche, renversa la tête en
arrière, et but une solide rasade à même le flacon.
Puis il s'essuya la commissure des lèvres avec un
mouchoir de batiste qu'il avait extirpé de sa manche
et qui semblait avoir été épargné par l'eau de mer.

— Pourquoi? Mais pourquoi donc? questionna la
jeune fille.

Raoul s'affala aux côtés de Julie avec un sang-gêne
que les circonstances vraiment exceptionnelles autori-
saient. D'ailleurs, le roulis était tel qu'il aurait eu du
mal à rester debout.

— Julie, chère Julie, murmura-t-il, vous qui semblez informée de tant de choses et de tant d'événements, vous qui m'arrachiez des mains un journal
fraîchement imprimé pour y dévorer les conditions de
la capitulation d'Appomatox Court House, ne saviez-
vous pas qu'il y avait auprès de Juarez des conspira-
teurs italiens?

Julie ne releva même pas l'intimité grandissante qui
s'était établie entre eux au cours des dernières heures
et le fait qu'elle se trouvait allongée en pleine nuit
sur l'étroite couchette d'un garçon qu'elle avait connu
vingt-quatre heures plus tôt dans un compartiment de
chemin de fer. Autour d'elle, se déchaînaient des forces insoupçonnées alors que l'*Age d'or* n'avait fait
qu'entamer le long voyage que Julie Crèvecœur avait
considéré au départ comme une pure formalité, une
sorte de répit avant les dangers inconnus qu'il lui
faudrait affronter une fois débarquée sur la terre
mexicaine.

— Je parierais, dit Raoul, que le nom de G'Hilardi,

202

pour ne vous citer que lui, ne vous dira rien du tout.

— Qui est ce G'Hilardi?

— Un ami de Garibaldi, répliqua Raoul.

Garibaldi! le héros de l'unité italienne... Un de ces personnages dont Alain avait beaucoup parlé à sa jeune maîtresse... Un de ces apôtres de la liberté qu'affectionnent les amants d'Auteuil. Garibaldi, dont Julie portait les couleurs, parce que cette camisole flamboyante avait été témoin de leur dernière nuit d'amour. A présent, elle comprenait aussi l'intérêt que lui avait porté M. Mutli, quelques heures avant de mourir : cette ressemblance dont il parlait et qui n'était peut-être due qu'à cette camisole inspirée des chemises rouges portées par les fidèles de Garibaldi.

— L'ennemi des Garibaldiens, c'est l'Autrichien, l'oppresseur, reprit le journaliste. Et quel est l'ennemi de Juarez, le champion de l'indépendance mexicaine? L'Autrichien d'abord, puisque c'est un Habsbourg, le propre frère de François-Joseph qui s'est fait empereur du Mexique avec la complicité des Français! Comprenez-vous à présent pourquoi ceux que nous appelons les « rebelles » mexicains ont accueilli à bras ouverts certains Italiens dont G'Hilardi, aventurier et ingénieur de grand talent, dont ils ont fait un général?

Julie entrevit la véritable personnalité de M. Mutli.

— Je comprends tout, s'exclama-t-elle, le pseudo-négociant suisse était en vérité un compagnon de Garibaldi qui se rendait certainement au Mexique pour y rejoindre l'armée de Juarez!

— Mieux que ça, dit Raoul. J'ai la certitude que cet homme était investi d'une mission par Juarez lui-même : empêcher à tout prix le débarquement à la Vera Cruz des troupes autrichiennes et de leur matériel de guerre! Vous n'êtes pas sans savoir que les Italiens sont passés maîtres dans l'art d'allumer des feux d'artifice!

La jeune fille resta abasourdie. A la lumière des événements dont elle venait d'être témoin, il y avait de fortes chances pour que le journaliste ne se trompât point. Julie comprenait à présent pourquoi Mutli avait voulu les empêcher d'emprunter l'escalier conduisant dans les cales du navire où était stocké le matériel autrichien : il venait sans doute d'y déposer une charge explosive. Surpris par la sentinelle, il l'avait abattue d'un coup de pistolet, puis il s'était rué sur le pont, camouflant son arme au moment où il découvrit les jeunes gens.

— Tout cela est très clair, s'écria Julie, mais pourquoi avoir attendu que l'*Age d'or* soit en haute mer pour accomplir une mission qui risquait de causer la mort de centaines de passagers civils? Pourquoi n'avoir pas fait sauter le paquebot alors qu'il était ancré au large de Saint-Nazaire avec sa cargaison d'armes et de munitions?

Raoul de Saint-Cerre devait avoir son idée à ce sujet, mais il ne put la développer comme il l'aurait voulu : des coups plus forts et plus effrayants que les précédents se firent entendre à nouveau. Cette fois, l'*Age d'or* donna l'impression d'avoir chuté dans le creux des lames sans pouvoir s'en relever. Dans un bruit d'apocalypse, toute la vaisselle encore intacte se cassa, des lustres se détachèrent, des miroirs furent pulvérisés.

— C'est le commencement de la fin, balbutia Julie.

Mais, pour des raisons qu'elle n'arriva pas à expliquer, elle eut l'impression d'avoir dominé sa peur, alors que les événements se précipitaient et ne manqueraient pas de prendre une tournure dramatique. Etait-ce la présence à ses côtés de Raoul de Saint-Cerre qui manifestait en permanence une curiosité amusée ou passionnée tout comme s'il était témoin et non pas acteur de la catastrophe imminente? Ou bien la fine Napoléon recelait-elle quelque vertu magique qui expliquerait avec un retard d'un demi-siècle les victoires du génie militaire dont elle portait le nom glorieux? En tout état de cause, le lit sur lequel Julie Crèvecœur avait l'impression de naviguer, comme s'il s'agissait de quelque radeau, craquait de manière assez sinistre. Raoul avait saisi la jeune fille par les épaules. Il y avait dans son regard une expression tout à fait nouvelle. L'ironie avait fait place à quelque chose qui ressemblait à de la compassion et aussi une flamme que Julie Crèvecœur connaissait bien pour l'avoir vue danser au fond des yeux de son amant, Alain Delatouche, certains soirs où le désir lui donnait des allures de fauve. Ces soirs-là il y avait dans leurs étreintes une absence de tendresse que Julie redoutait et espérait à la fois, comme on redoute et souhaite la mort sans comprendre le sens profond de ce désir et de cette répulsion.

— Je ne sais pas qui tu es et je ne le saurai jamais sans doute, chuchota Raoul, dans un souffle.

Sa bouche frôlait les lèvres de la jeune fille et redessinait l'ovale de son visage, l'arc de ses sourcils. Julie sentit la main de Raoul qui descendait de l'épaule vers le sein où elle se posa comme un oiseau. Les circonstances auraient dû les inciter tous deux à tout mettre en œuvre pour sauver leurs vies, puisque l'un et l'autre avaient mille raisons d'y tenir. Au lieu de quoi, ils étaient là, dans cette cabine étroite, au milieu d'éléments en fureur et d'une sarabande de bruits sinistres, couchés sur un lit, deux étrangers enlacés comme des amants. Julie avait conscience de l'absurdité de tout ceci et pourtant elle ne fut pas choquée par les gestes audacieux du jeune homme et cette bouche inconnue sur sa bouche, elle lui parut familière. Oui, familière comme si c'était la mort déguisée en jeune homme qui l'embrassait, qui l'enlaçait, qui la cernait, l'entourait... A cet instant, Raoul de Saint-Cerre était aussi la tempête, la mer déchaînée et les baisers qu'il prodiguait avaient un goût de cendre et d'éternité.

— Je crois que je t'aime, murmura Raoul. Je suis tombé amoureux fou la nuit dernière, en chemin de fer. Je t'ai regardée dormir, je t'ai entendue murmurer le nom d'un autre et j'ai compris que jamais je ne pourrais oublier cette inconnue à la fois chaste et impudique.

Les mots parvenaient aux oreilles de Julie Crèvecœur comme un bruit de source. Leur signification lui échappait, mais le son de cette voix, qui était comme un appel, la fit tressaillir. Une voix d'homme pouvait-elle devenir caresse brûlante? Aurait-elle voulu s'arracher aux caresses de Raoul qu'elle n'y serait sans doute point parvenue.

C'est alors que s'éteignit la flamme de gaz qui vacillait dans le globe d'une applique murale. Toutes les cabines devaient être plongées dans l'obscurité, car on perçut vaguement des cris de femmes et des appels dans les couloirs. La nuit noire enleva à Raoul de Saint-Cerre toute réalité. C'étaient des bras anonymes qui enlaçaient Julie. C'était une main anonyme qui explorait impérieusement le mystère d'un corps que Julie Crèvecœur offrait aux forces déchaînées qui l'environnaient. Julie se détacha de ce corps comme si ce n'était pas le sien. Elle savait seulement que cette nuit préfigurait une autre nuit, éternelle celle-là, et elle découvrit avec une surprise mêlée d'horreur qu'elle éprouvait une joie entièrement nouvelle, indéfinissable, mais profonde et totale, et pas une seconde elle n'eut l'impression que cette joie pût avoir le moindre rapport avec ce qu'elle avait appelé jusqu'alors l'amour. Ce n'était pas à Raoul de Saint-Cerre qu'elle se donnait, mais à la vie. Elle s'offrait en sacrifice à quelque divinité mystérieuse qui avait droit de vie ou de mort sur l'*Age d'or* et ses passagers. Comme pour souligner le caractère quasiment religieux de ce don, une cloche se mit à tinter au loin. Julie se rappela un jour d'orage à Auteuil où la foudre avait frappé une ferme et où l'on sonna le tocsin au clocher de l'église. Le son de cette cloche rompit le sortilège. Julie repoussa Raoul de Saint-Cerre. Elle le fit avec une certaine douceur, mais d'une façon telle qu'il devait sentir que ce qui venait de se passer n'était en aucun cas dans l'ordre des choses. A croire que la jeune fille avait absorbé quelque philtre qui cessa d'agir à l'instant même où retentit la cloche de bord. Elle glissa en bas du lit et réussit à gagner la porte dans l'obscurité. La coursive était vaguement éclairée par des quinquets disposés à intervalles réguliers.

— Julie, que faites-vous?

Elle était incapable de parler. Elle s'élança dans le couloir que les quelques passagers entr'aperçus tout à l'heure avaient déserté à nouveau, incapables de résister à l'épouvantable mal de mer qui leur tordait les entrailles. Julie n'avait qu'une pensée : regagner la cabine 73 de la série du grand salon. Dans son sac de voyage se trouvait un objet dont elle n'aurait jamais dû se séparer un instant : la croix de Malte sertie de diamants et d'émeraudes. Elle se jura de la porter désormais à même la peau, comme pour se protéger contre certains maléfices subtils. Son désir de vivre, de retrouver Alain était immense, mais l'*Age d'or* allait à la dérive, ballotté par la tempête, abominablement secoué par le roulis. Et toujours ces coups sourds auxquels Julie ne comprenait rien et qui lui inspiraient une terreur inexplicable contre laquelle elle essayait de lutter de toutes ses forces. Julie se hâtait. Un coup de roulis la jeta brutalement contre les parois de la coursive. Elle passa le carrefour triangulaire sur lequel s'ouvrait le grand salon. A n'en pas douter quelqu'un y jouait du piano! A l'heure où l'*Age d'or* était en péril, un passager interprétait *Le beau Danube bleu*!

C'était un officier autrichien.

L'énorme piano de concert tanguait quelque peu, se déplaçait même au gré des oscillations, mais seulement de quelques centimètres. Le hussard, apercevant Julie Crèvecœur, se dressa de derrière son piano et se raidit dans un impeccable salut digne de la cour de Schönbrunn. L'officier était en chaussettes. Il claqua des talons, mais silencieusement.

— Que Mademoiselle veuille bien excuser ma tenue, mais le colonel nous a donné l'ordre de nous débarrasser de nos bottes. Il paraît qu'elles nous empêcheraient de nager en cas de naufrage. Mourir pour mourir, j'eusse préféré mourir avec mes bottes, mais un ordre est un ordre! Est-ce que Mademoiselle accepterait de danser avec moi cette valse, si j'arrivais à mettre la main sur un pianiste bénévole qui me remplacerait au clavier?

Son français était guttural, mais irréprochable.

Déjà Julie s'était engagée en courant dans le couloir conduisant à la cabine 73... Derrière elle, l'Autrichien, qui devait être fin saoul, se désolait en allemand :

— *Fräulein, warum sind Sie so gleichgültig? Warum, Fräulein? Warum?*

Lorsque Julie pénétra dans sa cabine, Mme Paradis était agenouillée sur le plancher au milieu d'un déballage d'oripeaux et de fanfreluches. Vêtements et objets s'échappaient de sa malle renversée et bringuebalaient au gré du roulis! Mme Paradis avait les mains jointes. De ses lèvres tremblantes s'échappaient des phrases confuses. Julie comprit cependant que la pauvre femme priait. Mme Paradis jeta sur sa compagne de cabine un regard où se lisait une terreur proche de la démence. Julie se sentit gagnée par cette peur contre laquelle elle avait lutté de toutes ses forces tant que Raoul de Saint-Cerre lui avait donné l'exemple du courage et du sang-froid. Elle voulut réconforter Mme Paradis, mais le bruit assourdissant couvrait sa voix.

Son sac en tapisserie gisait dans un coin de la cabine. Julie l'atteignit non sans mal et en sortit le précieux écrin, l'ouvrit et retira la croix de Malte qu'elle fixa à une chaînette d'or qu'elle portait autour du cou. Elle prit aussi ce qui lui restait des vingt mille francs prêtés par Blanche d'Antigny et glissa les billets dans l'échancrure de sa blouse. Un coup de roulis furieux la mit à genoux, elle aussi, alors que Mme Paradis, déséquilibrée, se renversait comme une quille et heurtait violemment de la tête un angle de sa malle aux cuivres étincelants. Assommée, elle glissa à terre, inconsciente.

Julie essaya vainement de la traîner jusqu'à sa couchette. Mais la coiffeuse, qui modifiait sa pente à chaque instant, l'en empêcha. La lampe de secours ballottait dans son cardan et jetait de sinistres lueurs sur la scène. Sur le front de Mme Paradis parut un léger filet de sang qui coula le long de sa tempe, sur sa joue... Julie était affolée. Sous la poussée du vent la porte de la cabine s'ouvrit. Les tulles et les dentelles de Mme Paradis s'envolèrent, s'enroulèrent autour de Julie qui s'en débarrassa comme elle put.

Elle s'élança dans le couloir :

— Quelqu'un!... Au secours!

Mais la voix de Julie se perdait dans le vacarme, et de toute manière les gens étaient terrés dans leurs cabines, affalés sur leurs couchettes, malades à en mourir, incapables seulement de se soulever. Un homme parut au détour de la coursive, impitoyablement jeté contre les parois, mais avançant tout de même, pas à pas, serrant contre lui une grande boîte noire. C'était Raoul de Saint-Cerre. Julie savait à quel point le journaliste tenait à son appareil photographique, objet encombrant et peu maniable. Pour qu'il ait pris la décision de le garder avec lui, il ne devait plus douter de l'issue fatale du voyage. Julie en fut à la fois épouvantée et un peu attendrie, car il y avait dans ce geste quelque chose de puéril qui cadrait assez bien avec la personnalité du reporter. Celui-ci rejoignit la jeune fille et la suivit dans la cabine où Mme Paradis gisait toujours sur le sol, roulant d'un bord à l'autre. Raoul la souleva à moitié et Julie lui prêta main forte. Elle respirait faiblement.

— Couchons-la sur son lit, cria Raoul à l'oreille de Julie. Ensuite, je vous emmène sur le pont... aux chaloupes.

Julie le regarda, effarée.

— Nous n'allons pas l'abandonner ici?

Raoul hésita. Il regarda Julie, puis la masse inerte de Mme Paradis.

— Aidez-moi, Julie.

A eux deux, et au prix d'un effort méritoire, ils traînèrent la grosse dame dans la coursive.

A nouveau, on entendit ces grondements qui secouaient le paquebot comme si tout le bâtiment tremblait dans ses entrailles.

— Vous entendez, Raoul?

— Un canon mal arrimé et qui balaye l'entrepont, aboya le journaliste.

Il avait à peine articulé cette phrase que la chose arriva. Julie s'y attendait, certes, depuis le moment où elle avait compris les raisons pour lesquelles M. Mutli avait embarqué à bord de l'*Age d'or*. Mais peut-être avait-elle gardé l'espoir que l'Italien n'avait pu accomplir jusqu'au bout la mission dont il était investi.

La chose tant redoutée fut formidable et subite. Un éclatement enveloppa l'*Age d'or*, une explosion réduisit à néant tous les autres bruits et renversa les jeunes gens, les précipita l'un contre l'autre et les envoya rouler vers Dieu sait quel abîme.

L'explosion fut suivie d'une sorte de grand silence où la fureur des vents et la hargne de l'océan revinrent comme le leitmotiv d'une symphonie. Mais le battement des roues, bruit familier qui rythmait la marche du bateau, s'était brusquement arrêté. Et Julie eut l'impression que c'était le cœur du navire qui avait cessé de battre.

D'ailleurs, l'*Age d'or* ne roulait plus. Il penchait de côté, imperceptiblement d'abord, puis de plus en plus. Tout ce qui n'était pas fixé au sol roula vers tribord dans un grondement d'orage et de mitraille. De l'entrepont parvenaient des chocs épouvantables.

— Ça y est... La bombe du signor Mutli... Cette fois nous sommes perdus!

La voix de Raoul était rageuse. Julie aurait dû avoir très peur, mais, à sa grande surprise, son angoisse disparut subitement. Elle pensa que les événements suivaient un cours inéluctable et elle resta très calme et très sûre d'elle, tout en ayant la certitude qu'elle ne pouvait rien contre son destin et que si elle devait mourir cette nuit-là ou le matin, au lever du soleil, c'est que cela était prévu de tout temps. La cloche de bord retentit à nouveau. Mais cette fois elle sonna à toute volée. Sans doute appelait-elle les passagers près des canots de sauvetage. Julie sentait le corps de Raoul serré contre le sien. Il l'embrassait, la tenait prisonnière dans l'étau de ses bras, comme si elle était la vie même. Et pendant cet instant, très bref, Julie se reconstitua comme par miracle. Elle trouva en elle-même la force nécessaire pour affronter la mort. Elle était presque sereine, alors que, d'une seconde à l'autre, cela pouvait être l'abîme, la fin. Elle ne regretta pas que Raoul de Saint-Cerre fût son dernier compagnon, et elle l'embrassa elle aussi, comme un adieu à tout ce qui était chaud et vivant. Miraculeusement vivant encore. Mais pour combien de temps? Ils réussirent à se remettre debout alors que des craquements affreux se faisaient entendre. Mme Paradis avait repris conscience. Hébétée, elle se laissa traîner jusqu'à l'escalier conduisant au pont supérieur. Une odeur âcre de fumée les saisit à la gorge. Une tête se montra au-dessus d'eux, c'était un membre de l'équipage.

— Aux embarcations et en vitesse, bon Dieu!

La tête disparut. Il fallait coûte que coûte faire gravir à Mme Paradis les marches de l'escalier. Julie aida de son mieux le journaliste. Un épais nuage de fumée leur cachait une partie du pont. Mais des silhouettes encapuchonnées dans leur suroît couraient de toutes parts alors que la cloche de bord sonnait toujours. Il y eut alors une nouvelle explosion, plus violente encore que la première, parce que toute proche. Ce fut un prodigieux jaillissement de flammes. A travers l'espace, d'innombrables débris de métal et de bois, tuyaux de cuivre, d'acier, barres de fer tourbillonnaient, volaient et retombaient en pluie. Mme Paradis poussa un cri déchirant et s'écroula frappée à mort. Une gerbe d'étincelles aveugla Julie qui chercha instinctivement refuge près de Raoul. Celui-ci l'entraîna.

— Et votre appareil photographique?

Julie hurlait pour se faire entendre. Raoul avait délibérément abandonné sa chère boîte pour mieux protéger la jeune fille.

— Dans la vie... toujours faire un choix... fait le mien...

Les explications de Raoul étaient en partie bâillonnées par la tempête. Puis ce fut une troisième explosion. Elle provoqua une nouvelle clameur de terreur. Un coup de mer passa par la brèche ouverte dans les bastingages, arracha une énorme plaque de fonte et démolit dans un vacarme hallucinant le massif capot situé au-dessus du poste d'équipage. Les trombes d'eau se déversèrent sur la jeune fille et sur son compagnon. Cette fois, Julie crut que tout était fini. Les parois de tribord furent déchirées et emportées comme si l'*Age d'or* avait été un navire de papier. Le spectacle était à la fois horrible et fascinant. Julie gardait toute sa conscience, sachant pertinemment qu'elle n'était plus rien qu'un jouet, une poupée livrée au caprice d'un monstre à la tête de feu et au corps liquide qui allait l'absorber d'une seconde à l'autre.

Les embarcations de secours avaient été arrachées de leurs portemanteaux et précipitées à la mer. Des épaves se dandinaient sur la crête des lames. Le paquebot oscillait, penchait de plus en plus sur son flanc entrouvert. La cime d'une vague déferla sur le pont avec un échevellement indescriptible, emportant tout sur son passage, et Julie se sentit soulevée comme par des millions de bras. Elle fut séparée de Raoul sans qu'elle réalisât vraiment qu'elle était seule, absolument seule, aux prises avec la mort qui la cernait de toutes parts comme pour l'inviter à quelque valse suprême.

Roulée par le tourbillon, il sembla d'abord à Julie qu'elle était portée dans les airs à une distance fantastique. Tout disparut et elle perdit jusqu'à la faculté de penser. C'est parce que l'asphyxie la menaçait qu'elle eut enfin le réflexe de nager. Une pluie de fin du monde tombait sur ses épaules qui émergeaient et elle faisait, pour respirer, des efforts convulsifs avalant de l'eau qui la faisait suffoquer. La ruée d'écume se prolongeait dans la nuit, très loin, éblouissante, d'un éclat bleuâtre et neigeux. Il n'y avait que cela autour d'elle : les nuages obscurs, la pluie et ces montagnes mouvantes, ces colonnes d'eau qui se dressaient de toutes parts, prêtes à s'écrouler sur Julie Crèvecœur qui avait froid. Abominablement froid. Elle nageait avec désespoir, essayant de retrouver une respiration régulière, luttant non pas contre la mort, mais contre l'engourdissement. Chaque seconde était un combat et les minutes s'écoulèrent comme autant d'éternités. Ses forces l'abandonnèrent. Ses bras, ses jambes, ses poumons, pourtant solides, s'épuisèrent à vouloir lutter contre la mer en furie. Prise dans un remous, elle se vit entourée de débris de toutes sortes, de morceaux d'épaves qui flottaient sur la crête des vagues. Et elle découvrit enfin de loin la masse gigantesque de l'*Age d'or*, tel un vaisseau fantôme dans la nuit, en train de sombrer avec une lenteur majestueuse. Elle put voir encore les deux cheminées du transatlantique, haletantes, expirant, parmi les bouillonnements, leurs derniers hoquets de fumée noire. Epouvantée, elle distinguait, à l'arrière, une foule qui se pressait, s'écrasait, alors que le paquebot, irrésistiblement attiré par les tourbillons, descendait dans l'abîme avec sa cargaison hurlante.

Dans une sorte d'hallucination, Julie se remémorait une quantité de faits sans aucune relation avec la situation présente. Elle se revit enfant, et bizarrement, elle eut une vision d'incendie avec de la fumée, des cris et une odeur de poudre qui lui raclait la gorge. Cette vision était en contradiction absolue avec ses vrais souvenirs de petite fille vivant à Auteuil dans l'opulence auprès de M. Gaspard dont le sourire ironique s'imposa à elle. Puis elle sentit auprès d'elle une présence féminine, très douce, d'abord, elle pensa que c'était Mathilde Bonaparte qui la réconfortait. Mais c'était une inconnue. Et elle entendit une voix d'homme incisive, italienne, qui disait : « Palerme... la Sicile... ». Et cette voix se perdait dans la nuit. Une autre voix l'appela cette fois par son prénom, du fond des mers, du fond de l'infini.

— Mon amour...

L'eau salée étouffa le cri d'amour de Julie Crèvecœur sur le point de sombrer. Elle se débattait éperdument. En remontant, elle distingua dans la transparence glauque une ombre qui passait à portée de sa main. Elle serra les doigts, c'était un cordage. Elle se hissa, émergea, s'accrocha à la quille d'un canot chaviré. Elle était sur le point d'atteindre ce refuge, mais quelque chose la saisit aux chevilles et l'entraîna de nouveau vers le fond. Roulant entre deux eaux, à demi asphyxié déjà, un militaire autrichien s'agrippait à elle de ses doigts nerveusement convulsés. Prise d'une rage désespérée et pour ainsi dire animale, Julie le déchira de ses ongles pointus, le frappa et réussit finalement à se débarrasser d'un corps qui n'était déjà plus qu'un cadavre. Le remous avait encore rapproché la chaloupe renversée, elle s'y agrippa.

Combien de temps Julie Crèvecœur resta-t-elle ainsi? Elle aurait été bien incapable de le dire. Il lui aurait suffi d'un tout petit effort pour se hisser sur la quille, seulement, cet effort-là, elle n'arrivait plus à l'accomplir. Elle put néanmoins retrouver son souffle, mais le froid mortel l'engourdit de plus en plus. Et, de nouveau, ce fut un carrousel de visions fulgurantes avec leur cortège de bruits, de musiques et d'odeurs. Elle se crut au théâtre des Variétés où Blanche d'Antigny, dans une travée d'orchestre, brandissait des billets de banque... Elle se crut chez Rachel l'Emailleuse face à un masque jaune ocre et qui lui disait :

— Tu le retrouveras, Julie, et vous serez très heureux...

Elle sentit une bouche se presser contre sa bouche. Elle recula. Dans la nuit bleuâtre étincelaient les yeux de chat de M. Patrice Kergoat. Elle crut entendre le sifflement d'un poignard lancé à toutes forces. Et les yeux de Patrice se fermèrent. Et ce fut la tonsure hideuse de Germain où Julie crut voir se détacher l'aigle autrichien. Mais de nouveau toutes ces visions de cauchemar s'effacèrent et une voix adorée l'appela du fond des mers, du fond de l'infini :

— Mon amour...

Sans doute Julie se serait-elle laissée glisser doucement pour répondre à cet appel. Ses doigts engourdis auraient lâché prise et son corps, pendant quelques instants encore, aurait été le jouet des vagues avant de couler à pic. Mais elle fut heurtée assez brutalement, et ce choc lui rappela aussitôt l'affreuse lutte qu'elle avait dû soutenir contre le soldat autrichien agonisant. Elle se hérissa de peur. Et la peur lui fut salutaire. Elle revint à elle, à sa souffrance abominable, car elle avait l'impression d'être mordue par des millions de bêtes voraces sans pouvoir esquisser seulement un geste de défense. Mais pour l'instant ce qui dominait tout c'était la peur. Jusqu'au moment où elle s'aperçut qu'il s'agissait d'un objet flottant sur les eaux, une épave qui avait la forme d'une boîte. Une boîte noire... L'appareil photographique de Raoul de Saint-Cerre.

Alors, elle pensa au jeune journaliste, à ce compagnon des derniers jours qu'elle avait fini par considérer comme une sorte d'ange gardien; quelque peu pervers, envoyé par la providence.

Etait-il mort, était-il vivant?

Le désir de vivre submergea Julie meurtrie, blessée, exténuée, voir au moins le jour, tenir au moins jusqu'à la naissance du jour. Jusqu'au soleil levant.

Et rien ne parut aussi important à Julie que de saisir cette boîte. Un désir parfaitement absurde, mais providentiel. Alors qu'elle avait cessé de nager depuis un long moment et que le froid la paralysait, elle s'agrippa solidement à son canot renversé. Ses jambes battaient furieusement l'eau. Elle essayait d'attraper du pied la boîte, mais elle n'y arriva point.

Et elle réussit ce qui tout à l'heure lui avait paru

parfaitement au-dessus de ses forces. Dans un ultime sursaut d'énergie, elle se hissa sur la quille, déchirant ce qui lui restait de vêtements, blessée par des échardes, elle s'y accrocha comme s'il y avait encore un espoir au bout de la nuit. Julie, de son bras libre, amena la boîte jusqu'à son refuge, la serra contre elle comme si elle renfermait quelque fabuleux trésor...

La chaloupe renversée fit quelques embardées extravagantes, piquant du nez dans le vide, reprenant son aplomb dans des soubresauts qui auraient dû éjecter Julie Crèvecœur. Mais celle-ci tint ferme! Comme soudée à son épave, elle plongea deux ou trois fois au fond du gouffre pour en resurgir chaque fois, suffoquante, à demi asphyxiée, plus morte que vive. Une dernière fois l'embarcation resta suspendue dans une inclinaison épouvantable. Assez longtemps pour que Julie fermât les yeux pour mieux attendre la fin, l'appelant de toute son âme. Et rien ne vint. L'épave tournoya sur elle-même, mais elle ne fut point engloutie. Julie ouvrit les yeux et vit quelques étoiles tremblantes au-dessus de l'immense chaos, des étoiles ternes qui apparaissaient, disparaissaient, masquées par de sauvages tourbillons de fumée.

Peu de temps après, il y eut comme une vague lueur. Julie eut une pensée enfantine :

— Tiens, se dit-elle, une étoile qui est tombée à l'eau!

Ce n'était pas une étoile naufragée, mais un canot qui tournait, évoluait inlassablement, parcourant le lieu du sinistre. Un coup de rame, un coup de barre... Un coup de barre, un coup de rame... Julie aurait voulu crier pour attirer l'attention sur elle, mais aucun son ne sortit de sa gorge.

— *Take it easy, boy!*

— *Take it easy, boy... I see something... or somebody, sir!*

Le matelot, armé d'une gaffe, essayait d'attraper la boîte noire qui avait attiré son attention. Et Julie Crèvecœur s'y agrippa avec l'énergie du désespoir.

— *Help!* cria-t-elle, retrouvant sa voix.

Du canot, quelqu'un plongea aussitôt. Julie se sentit soulevée, non plus par une vague, mais par des bras d'homme. Elle fut arrachée à l'élément liquide. Et, presque au même instant, tout se brouilla devant ses yeux et elle perdit connaissance.

Les personnages de ce roman se retrouveront dans Julie Crèvecœur, tome II, Les amants de Palerme, tomes I et II, **A** l'amour comme à la guerre, et Sursis pour l'amour, *tous parus ou à paraître aux Editions J'ai Lu.*

DOCUMENTS

L'AVENTURE MYSTÉRIEUSE

ÉDITIONS J'AI LU

31, rue de Tournon, 75006-Paris

diffusion
France et étranger : Flammarion - Paris
Suisse : Office du Livre - Fribourg
Canada : Flammarion Ltée - Montréal

« Composition réalisée en ordinateur par IOTA »

IMPRIMÉ EN FRANCE PAR BRODARD ET TAUPIN
7, bd Romain-Rolland - Montrouge.
Usine de La Flèche, le 20-05-1977.
1930-5 - Dépôt légal 2ᵉ trimestre 1977.